El cielo de Madrid

Julio Llamazares nació en Vegamián (León) en 1955. Su obra abarca prácticamente todos los registros literarios, desde la poesía —*La lentitud de los bueyes* (1979) y *Memoria de la nieve* (1982)— a la literatura de viaje —*El río del olvido* (1990), *Trás-os-Montes* (1998), *Cuaderno del Duero* (1999), *Las rosas de piedra* (2008), primer volumen de un recorrido sin precedentes por España a través de sus catedrales, y *La ruta del Quijote* (2016) —, pasando por la novela —*Luna de lobos* (1985), *La lluvia amarilla* (1988), *Escenas de cine mudo* (1994), *El cielo de Madrid* (2005), *Las lágrimas de San Lorenzo* (2013) y *Distintas formas de mirar el agua* (2015)—, la crónica —*El entierro de Genarín* (1981)—, el relato corto —*En mitad de ninguna parte* (1995) y *Tanta pasión para nada* (2011), colecciones reunidas en el volumen *Cuentos cortos* (2016)— y el guión cinematográfico. Sus artículos periodísticos, que reflejan en todos sus términos las obsesiones propias de un narrador extraordinario, han sido recogidos en los libros *En Babia* (1991), *Nadie escucha* (1995) y *Entre perro y lobo* (2008).

Biblioteca

JULIO LLAMAZARES

El cielo de Madrid

DEBOLS!LLO

El papel utilizado para la impresión de este libro ha sido fabricado a partir de madera procedente de bosques y plantaciones gestionadas con los más altos estándares ambientales, garantizando una explotación de los recursos sostenible con el medio ambiente y beneficiosa para las personas. Por este motivo, Greenpeace acredita que este libro cumple los requisitos ambientales y sociales necesarios para ser considerado un libro «amigo de los bosques». El proyecto «Libros amigos de los bosques» promueve la conservación y el uso sostenible de los bosques, en especial de los Bosques Primarios, los últimos bosques vírgenes del planeta.

Papel certificado por el Forest Stewardship Council®

Primera edición en Debolsillo: mayo, 2016

Travessera de Gràcia, 47-49. 08021 Barcelona

Printed in Spain – Impreso en España

ISBN: 978-84-663-3418-1 (vol. 1147/4)
Depósito legal: B-7.257-2016

Impreso en Novoprint
Sant Andreu de la Barca (Barcelona)

P 3 3 4 1 8 1

Penguin
Random House
Grupo Editorial

Para mi hijo Julio, que nació en Madrid.

«De Madrid al cielo.»
DICHO POPULAR

Primer círculo

EL LIMBO

«Interrumpió mi profundo sueño un trueno tan fuerte que me estremecí como hombre a quien se despierta a la fuerza.»

DANTE ALIGHIERI
La Divina Comedia, Canto IV

I

En el verano de 1985, todos teníamos ya treinta años. Quiero decirte con ello que todos éramos ya conscientes de que nuestra juventud se acababa. Tal vez por eso, aquel verano llegó a nosotros con una especie de melancolía de otoño anticipada.

A pesar de ello, cuando empezó el mes de julio, nos fuimos de vacaciones igual que todos los años. Unos se fueron al mar, al chalet de algún amigo o a la casa de verano de sus padres, otros volvieron a casa y otros, como Eva y yo, nos fuimos a hacer el viaje que desde hacía ya mucho tiempo habíamos estado soñando: a Suecia, su país, que yo estaba deseando conocer y ella ansiosa de enseñarme. La víspera de nuestra partida, encontré a Rico en El Limbo. Él no se iba a ninguna parte. A él lo único que le gustaba era Madrid y más en el verano, cuando apenas queda nadie.

—Hazme caso —me dijo, con su habitual gesto escéptico, mientras me ofrecía un cigarro—. Éste es el único lugar del mundo realmente interesante.

Encendí el cigarrillo y me quedé mirándolo. Rico era de Madrid, había vivido aquí prácticamente siempre y aquí seguía viviendo, en la casa y del dinero de sus padres. Al parecer, Rico era de buena familia, aunque él nunca lo dijera.

La verdad es que Rico era un tipo extraño. Andaba cerca de los cuarenta y peinaba ya algunas canas, pero nadie sabía qué hacía ni en qué entretenía su tiempo. De día, era difícil verlo (según él, dormía hasta el mediodía), pero, de noche, a partir de las once, se lo encontraba siempre en El Limbo. Allí lo había conocido yo, a poco de llegar a la ciudad, en el mismo rincón en que ahora estábamos.

Hacía un calor sofocante. Durante todo el día, la tormenta había rondado la ciudad, sin conseguir desatarse, y ahora que ya era de noche el asfalto desprendía un vaho espeso y caliente que se pegaba a la piel como si fuese una pasta. La puerta del local estaba abierta y los ventiladores funcionando a todo gas, pero hacía tanto calor que apenas podía aguantarse. Pensé que era una broma que el bar se llamase El Limbo.

—Todo es acostumbrarse —dijo Rico—. Duermes de día y vives de noche.

—O sea —le dije yo—, como todo el año.

—Ya —me respondió él, sonriendo—. Pero, en verano, los días son más largos.

Julito, el camarero, nos trajo unas cervezas y Rico, tras dar un trago a la suya, volvió al discurso anterior:

—Mira, Carlos, no te engañes. Todo lo que puedas ver por ahí está aquí. No en Madrid; en este bar, en la esquina de esta calle... Y lo que no —dijo, muy solemne— está en el Museo del Prado.

No estaba muy de acuerdo con él, pero tampoco tenía interés en llevarle la contraria. Bebí un trago de cerveza y me recosté en la pared, con el cigarro en los labios.

Hacía ya muchos años que frecuentaba aquel bar. Desde que llegué a Madrid en el otoño de 1975, El Limbo se había convertido en mi cuartel general nocturno, igual que para muchos otros; sobre todo, para los que, como Rico y yo, no teníamos que madrugar al día siguiente. Había pintores, poetas, gente sin profesión conocida, algún novelista inédito, algún filósofo puro, algún músico, algún actor y, sobre todo, borrachos. Borrachos de todas clases. Desde el hombre que vendía poemas por los cafés hasta el que presumía, cuando recordaba sus buenos tiempos de actor, de haber trabajado con Ava Gardner. Y de haberse acostado con ella, claro.

La verdad es que El Limbo era un sitio raro. Anclado en mitad del barrio, entre la plaza de las Salesas y la de Alonso Martínez, El Limbo acogía también a algún cliente de paso, extranjeros sobre todo y españoles de provincias deseosos de conocer el Madrid nocturno, del que les habrían hablado, y era el sitio preferido de los últimos noctámbulos. Hacia la madrugada, cuando los demás cerraban, el bar se llenaba de renuentes y de gente empeñada en no regresar a casa. A partir de ese momento y hasta la hora del cierre (muchas veces ya de día), era cuando El Limbo hacía honor a su nombre y cuando los clientes se encontraban en su salsa.

Pero, esa noche, todavía era pronto para que El Limbo estuviese ya animado. Julito y Pepe, los camareros, mostraban su aburrimiento apostados como saurios a ambos lados de la barra y César, el pianista, miraba desde la puerta a la gente que pasaba por la calle. Seguramente, esperando, como nosotros, que la tormenta se desatara.

Rico aplastó el cigarro. Me dijo:

—Míralo, ahí lo tienes. Él ha viajado por todo el mundo sin moverse siquiera de este bar.

Se refería a César, el pianista, cuya delgada figura se recortaba en la puerta, de espaldas a nosotros, contra la luz de la calle: la luz del neón del bar y la del farol de enfrente. Al contraluz de la puerta, el viejo pianista parecía un cartel más, uno de esos cartelones de tamaño natural que anuncian a la puerta de algunos bares la composición del menú del día o las especialidades culinarias de la casa. Aunque, así visto (de espaldas), César no parecía tan viejo. Incluso alguien que no lo conociera habría jurado que no era mayor que Rico. El maestro, como lo llamaba éste, se conservaba muy bien, y ello a pesar de vivir siempre al día, en pensiones de segunda y comiendo por los bares. A veces, yo lo encontraba en El Nueve, a pocos metros del Limbo, o en el Bogotá, en Belén, el restaurante más concurrido y barato de la zona en aquel tiempo, compartiendo el menú del día con los obreros y con los estudiantes del barrio. Aunque siempre estaba solo en una mesa. Al parecer, el maestro, que había estado casado y tenía ya algún hijo de mi edad, llevaba separado muchos años y, desde entonces, su única casa era El Limbo y su único amigo el piano. No en vano, desde hacía doce, allí pasaba las noches, bebiendo whisky y tocando.

—Pues hoy no parece que tenga muchas ganas —le comenté por lo bajo a Rico, que acababa de apagar el anterior y ya estaba encendiendo otro cigarro.

—No me extraña —dijo éste, observando el panorama.

Y es que El Limbo estaba en cuadro. Desde finales de junio, la gente había comenzado a desfilar y, ahora que ya se acercaba agosto, las deserciones se producían en masa. Excepto a Rico y a pocos más (los que estaban en el bar aquella noche), parecía como si a todos el verano en Madrid nos quemase.

Pero al maestro aquello no parecía importarle. Al menos no demasiado. Cuando le pareció, dejó de mirar la calle y se dirigió a su sitio, saludándonos, al pasar junto a nosotros, con un leve movimiento del cigarro (siempre tenía un cigarro en la boca, incluso mientras tocaba). Se sentó y abrió el piano y comenzó a acompañar, para ejercitar los dedos, la música que sonaba.

En la barra, Julito y Pepe se despertaron. Pepe quitó la música y Julito le llevó a César su primer whisky, que éste posó, como siempre, después de beber un trago, en el borde de la tapa del piano. Miré la hora: eran las once y cuarto.

A esa hora, otras noches, ya estarían en El Limbo Suso y Mario. Y estarían al llegar los de Argensola, y los del grupo de Salamanca; o sea, los habituales. Pero la mayoría ya estaban de vacaciones y Suso, aunque seguía aún en Madrid, había quedado con una chica que había conocido en un bar el día anterior. Aparecería después, como siempre, exhibiendo con orgullo su conquista o renegando de las mujeres, en caso de fracaso.

La verdad es que Suso no cambiaba. Desde que lo conocía, no hacía más que pensar en las mujeres; eran lo único que le interesaba. Incluso cuando escribía, que era lo que pretendía hacer y para lo que había venido a

Madrid abandonando sus estudios de Derecho y el despacho que su padre le tenía preparado en La Coruña, lo hacía pensando en ellas; pensando en impresionarlas. Aunque tampoco escribía mucho, la verdad. No tenía tiempo, decía. Suso pensaba, como Balzac, que cada mujer de la que te enamoras es una novela menos que escribes, pero, al contrario que el escritor francés, él prefería enamorarse a escribir, al menos mientras pudiera. Ya tendré tiempo, decía, cuando me canse.

—¿Cuando te canses de qué? —le provocaba Agustín, el camarero del Nueve, cuando Suso decía aquello.

—De escribir. ¿De qué va a ser?... ¡No te jode! —le respondía Suso, sarcástico.

Pero, de momento al menos, Suso no parecía cansarse. Al contrario, últimamente apenas paraba en casa. Desde lo de la italiana, que lo dejó por un guitarrista (a él, que odiaba a los músicos más que a ningún otro gremio en el mundo: decía, enmendando a Marx, que eran el opio del pueblo), parecía que quería resarcirse del fracaso. Mario, en cambio, era todo lo contrario. Tenía una novia, María, desde muy joven, pero lo único que hacía era escribir, aunque ya no necesitaba impresionarla. Mario lo que quería era triunfar cuanto antes. Ahora estaba en Tenerife, en casa de su familia, terminando una novela que llevaba ya escribiendo varios años. Suso decía que Mario todavía no sabía que la mejor novela, para un escritor puro, es el fracaso.

La tormenta no llegaba. César empezó a tocar y en la barra acabaron todos de despertarse. Había ya algunos más: Juan Luis, el dueño del Limbo; Paloma, la novia de Pepe, y un amigo de Julito. Todos, pues, de la familia.

Y todos adormilados. Alguno, posiblemente, terminaría de levantarse.

El que llegó fue el dueño de Sam, igual que todas las noches, con la correa del perro amarrada al cinto y el periódico del día bajo el brazo. Como de costumbre hacía, fue el perro el que entró primero, tirando de la correa (y del dueño) en dirección a la barra. Pepe le daba patatas fritas y el perro lo perseguía de un lado a otro del mostrador, erguido sobre las patas, mientras el dueño tomaba café a su lado. Luego, éste fumaba un cigarro y, después, los dos se iban y se perdían entre los coches. Siempre iban juntos y casi siempre solos, como dos enamorados. A veces, yo los veía cuando regresaba a casa, paseando todavía o sentados en la plaza, y me preguntaba, no sin envidia, qué habría entre ellos para que siempre estuvieran juntos, sin separarse.

Empecé a sentirme triste. Me ocurría algunas veces, cuando las noches se presentaban tan insulsas y vacías como aquélla o cuando iba a emprender un viaje. Y, aquella noche, se daban ambas circunstancias. Además, César parecía empeñado en llenarnos de melancolía. Cuando terminó *Ansiedad*, la canción con la que siempre solía empezar las noches (era casi como un himno), comenzó a tocar *Sin ti*, un bolero de Los Panchos que tocaba pocas veces y siempre a última hora, cuando ya estaba borracho. Se ve que también a él la tormenta, o lo que fuera, le había puesto nostálgico.

Recordé el día en que conocí El Limbo. Fue al poco tiempo de haber llegado a Madrid, con Julia y con Paco Arias. Paco Arias, que vivía en Fuencarral, solía ir todas las noches y nos llevó a conocerlo apenas recién llegados.

Recuerdo que estaba César tocando. Nos sentamos en una mesa del fondo, al lado del guardarropa, y durante largo rato permanecimos todos callados. Paco Arias no hacía más que liar porros, igual que todas las noches, y Julia y yo, que acabábamos de llegar a la ciudad, lo mirábamos todo con asombro provinciano. Yo, especialmente, el cielo del techo, que me pareció el más bello que había visto jamás. Siempre, de hecho, me lo siguió pareciendo, aunque desde aquella noche volví a verlo muchas veces. Tantas como pasaría en El Limbo antes de que lo cerraran.

Mientras lo volvía a mirar, y mientras escuchaba a César, que seguía tocando el piano como si estuviese solo en el bar, pensé en qué habría sido de Julia y de toda la gente que conocí por entonces. Habían pasado diez años. Diez años ya desde aquella noche en la que Paco Arias nos llevó a conocer El Limbo, del que tanto nos hablaba allá, en Oviedo, cuando volvía de vacaciones. Paco Arias había venido antes, cuando empezó a estudiar Bellas Artes, e hizo de puente para nosotros y de anfitrión y de guía cuando llegamos. No en vano todos habíamos estudiado juntos y comenzado a soñar con Madrid cuando la lluvia triste de Asturias nos recluía en el bar Sevilla o en los de la calle Uría, junto con los vecinos del barrio. Luego, él se fue (como en el viaje de ida, el primero) y Julia y yo, aunque seguimos juntos un tiempo, acabamos también separándonos. Julia se quedó en Madrid, pero le perdí la pista. Lo último que supe de ella es que se había casado.

La verdad es que, a veces, todavía la añoraba. Añoraba su pelo negro y la pureza de aquellos ojos que vi por primera vez en aquel bar de la Facultad en el que solía pasar las horas con mis amigos hablando de pintura y poesía y conspirando (eran los años setenta y la Universidad estaba más en los bares que en las aulas de las clases). Aquella tarde, recuerdo, cuando ella entró, nos quedamos todos callados. Era tan bella que parecía pintada.

En seguida se convirtió en la musa del grupo. Un grupo en el que todos lo compartíamos todo, o al menos lo pretendíamos, y en el que, por eso mismo, Julia no debía ser de nadie. Aunque desde el primer momento se estableció entre nosotros una dura competencia por ver quién la conquistaba. Terminé haciéndolo yo, ante mi propia sorpresa, y fue la primera causa de que el grupo se rompiera. La siguiente fue la vida, que ya empezaba a llamarnos.

Cuando llegamos aquí, Julia todavía tenía aquella mirada limpia que me enamoró la primera vez y que me acompañó por los bares de Oviedo durante más de dos años; los que tardamos en decidirnos a dar el salto a Madrid para intentar realizar nuestras pobres ilusiones provincianas: la ilusión de ser felices, y libres, y hasta famosos. Pero en seguida empezó a enturbiársele. La dureza de Madrid, unida a las decepciones que la vida nos tenía reservadas (y de muchas de las cuales yo fui culpable en su caso), se la fueron enturbiando poco a poco, como la lluvia triste de Oviedo, hasta acabar convirtiéndosela en aquel mar de tristeza que eran sus ojos cuando nos separamos. Era el año 81 y habían pasado seis años.

Habían pasado seis años. Y otros cuatro más desde entonces. Julia estaría ahora durmiendo junto a un desconocido mientras yo seguía escuchando a César y contemplando el cielo del Limbo, como aquella noche de otoño en la que Paco Arias nos lo enseñó. Habían pasado diez años. Diez años ya y apenas me había enterado.

—¿Otra cerveza? —me sacó Rico de mis recuerdos.

—Bueno —le respondí, regresando bruscamente del pasado.

II

Del pasado y del futuro. Porque, mientras recordaba, mientras, a mi lado, Rico bebía y fumaba en silencio igual que todas las noches, comencé a pensar también en el viaje que emprendía al día siguiente y, sobre todo, en lo que me encontraría en Madrid cuando volviera. Un pensamiento que me angustiaba desde hacía días, aunque me resistía a reconocerlo.

Siempre me ocurría lo mismo cuando llegaban las vacaciones. Solía ocurrirme en junio, incluso, a veces, ya en mayo, en esos días inmensos en los que la primavera va avanzando hacia el verano y la ciudad se llena de gente y de turistas que van de paso. De repente, una inquietud, como una extraña zozobra, se me instalaba en el pecho y ya no me abandonaba hasta que por fin me iba. Pero, aquel año, era diferente. Aquel año, la inquietud había dejado paso a una especie de nostalgia inexplicable que me oprimía el estómago y que, en lugar de atenuarse, como me ocurría otras veces, había ido en aumento a medida que el verano transcurría. Era como si temiera que, aquel verano, las despedidas fueran a ser para siempre; como si presintiera que, a la vuelta de mi viaje, ya nada sería lo mismo; como si supiera ya que, aquel año, el verano no iba a ser otro paréntesis de tiempo, como todos los veranos anteriores, sino un punto y aparte en nuestras vidas. ¿Sería que había llegado el momento de abandonar para siempre, definitivamente, la juventud?

Otros años, en efecto, cuando llegaban las vacaciones, yo me iba de Madrid con la impresión de dejar atrás, además de a los amigos, una parte de mi vida; la parte que se cerraba, como la puerta a mi espalda, cuando salía de casa. Pero no era importante. O, al menos, no lo creía así entonces, cuando lo estaba viviendo, aunque luego, con el tiempo, me diera cuenta de que cada una de aquellas despedidas era una pérdida más que se sumaba a las otras para juntas ir robándome la vida. Pero ahora la impresión era la de que aquel tiempo se terminaba; que aquellos años felices que había vivido en Madrid y que creía infinitos se acababan para siempre sin que ni yo ni nadie pudiéramos impedirlo. Por eso, aquella noche, en El Limbo, yo estaba tan melancólico, pese a que tenía motivos para todo lo contrario.

—¿Y Eva? —me preguntó Rico, mirándome.

—Quedó en casa. Preparando las maletas.

No había querido salir. La había llamado dos veces, a su trabajo y, más tarde, a casa, pero las dos me dijo lo mismo: que no quería salir, que prefería quedarse en casa preparando las maletas para no tener que hacerlas al día siguiente. Siempre tan previsora, tan responsable.

—¿A qué hora sale el avión?

—A la una.

—¡Ah! Entonces tienes tiempo de emborracharte —me dijo Rico, sonriendo, a la vez que me ofrecía otro cigarro.

Sí, sin duda Rico tenía razón. Sin duda Rico estaba en lo cierto y lo mejor que yo podía hacer esa noche era emborracharme, a la vista de cómo me sentía y de lo que me rodeaba. Madrid era un cementerio y El Limbo un panteón vacío lleno de espejos y de fantasmas.

Nunca los había visto así. Tal vez era una impresión, un reflejo de mis propias inquietudes, pero, desde hacía ya días, Madrid parecía un desierto del que hasta el viento se hubiera ido. Era como un escenario abandonado por sus actores, como un inmenso teatro lleno de polvo y de sombras que se iba convirtiendo poco a poco en un magnífico decorado. Un decorado de asfalto y piedra, lleno de coches inmóviles, que flotaba como un barco en la calima de los días y que de noche se iluminaba bajo las luces de las tormentas.

Y lo mismo sucedía con El Limbo. Cada día estaba más muerto, más vacío y decadente, pese a que algunos clientes le seguían siendo fieles, como si su presencia fuera obligada. Ése era el caso de Rico, que no fallaba una noche.

—¿Y qué harás en agosto, cuando cierre? —le pregunté, señalando el bar.

—Hay más bares —me respondió él, sonriendo.

—Ya. Pero no es lo mismo —le dije yo, imaginándolo en cualquier bar de la zona, de los pocos que quedarían abiertos. Una imagen que se me antojaba triste, quizá porque yo lo estaba.

—No creas —me dijo Rico, impasible, soltando el humo del cigarrillo en dirección al ventilador—. Incluso viene bien cambiar de aires.

¡Cambiar de aires!... Eso era lo que iba a hacer yo y lo que me preocupaba tanto. Presentía que aquel mundo evanescente, aquel mundo de ilusiones y de sueños en el que vivía yo entonces era tan frágil y delicado que cualquier cambio podía romperlo. Y, por otra parte, temía que eso ocurriera en mi ausencia, cuando nada podría hacer por impedirlo.

Nunca hasta entonces lo había visto tan cerca. Desde que llegué a Madrid (y aún antes: cuando todavía vivía en Asturias y era un estudiante joven que miraba la vida y el mundo con desprecio), había vivido con tanta prisa, tan de espaldas a éste y a mí mismo, que pensaba que el tiempo sólo corría para los otros y que yo estaba a salvo de su paso. Los primeros años, con Julia, y, luego, ya por mi cuenta, viví Madrid y sus largas noches como si fueran una aventura que no iba a acabar nunca; una aventura irreal, hecha de amores y sueños que nunca se terminaban porque no llegaban a realizarse jamás.

Los primeros años, con Julia, fueron los más divertidos. Los dos éramos muy jóvenes, estábamos enamorados y creíamos que la vida también estaba de nuestra parte. Eran los años setenta, los primeros tras el franquismo, cuando Madrid y todo el país despertaban del letargo en que vivían y se disponían, como nosotros, a recuperar el tiempo perdido.

Fue la época en la que conocimos a Juan y a Suso. Y a Mario. Y a Julio. Y a Carlos Cuesta. Y a Pedro. Y a Rosa Ramos... Gente que, como nosotros, había llegado a Madrid con su maleta y su sueño a cuestas, todos dispuestos a ser felices y decididos a realizarlo. Fueron años trepidantes. Vivíamos todos juntos en buhardillas o en pisos de alquiler que cambiábamos cada poco en función de las circunstancias y de nuestras posibilidades, y pasábamos los días en una especie de larga fiesta que sólo se interrumpía cuando llegaban las vacaciones. Entonces, cada uno regresaba a su lugar, como los pájaros en el otoño, para volver al cabo de un tiempo con los sueños y las fuerzas renovados. Ambos los necesitábamos, sin duda, pues, al mismo tiempo, vivíamos en la pobreza más absoluta.

Pero era emocionante. Era como vivir en una noria de feria, en el centro de una ola torrencial e irresistible que nunca se detenía y que unía los días con las noches, como si todos fueran la misma cosa. Era la época de las discusiones, de las manifestaciones políticas, de las fiestas clandestinas y los mítines prohibidos y de las largas noches de confidencias en casa de los amigos o en las barras de los bares. Y también, para nosotros, del descubrimiento de una libertad que había sido un largo sueño para dos generaciones de españoles anteriores a la nuestra.

A la vez, yo iba pintando. Todavía no sabía qué era lo que quería pintar, ni tenía sitio a veces para poder hacerlo con calma, pero pintaba y pintaba con esa decisión firme de quien está convencido de que acabará encontrando ambas cosas. El verde intenso de Asturias seguía fijo en mi paleta, como sus lluvias en mi memoria, pero empezaba a mezclarse con los rosas y violetas de los cielos de Madrid. Un Madrid que quizá no era el real, pero que era el que yo vivía: el Madrid del Limbo y de Malasaña, el de los viejos cafés, el de las churrerías y los bares sin destino y el de los amaneceres fríos de retirada. Aquel Madrid ya desaparecido que despertaba, como nosotros, a un tiempo de libertad.

Madrid empezó a cambiar hacia principios de los ochenta. Coincidió con el final de aquellos años históricos (para el país y para nosotros) y, en mi caso, sobre todo, con el de mi relación con Julia. Fue en el invierno de 1981. Después de meses de desencuentros, de alejamientos y de reconciliaciones que apenas duraban días, semanas todo lo más, Julia y yo decidimos separarnos y seguir cada uno por nuestro lado. Fue una decisión muy triste. Aunque los dos la sabíamos cercana (fundamentalmente ella, que llevaba mucho tiempo soportando mis traiciones), significaba romper con varios años de vida y con innumerables sueños comunes, algunos ya realizados. Pero era inevitable. Yo me había cansado de ella y ella sufría conmigo. Por eso, aquella mañana, cuando nos despedimos, sentí que algo importante se terminaba y no sólo aquella historia que había empezado en Oviedo, cuando los dos éramos todavía casi adolescentes y teníamos aún toda la juventud por delante.

Pero, en aquel momento, apenas me di cuenta de todo aquello. Entonces yo vivía sumergido en la trepidante fiesta en que Madrid se había convertido y no tenía tiempo para pararme a pensar en ello y mucho menos en lo que significaba. Entre pintar y quemar las noches vagando de bar en bar, buscando nuevas conquistas y experiencias que contar al día siguiente (no importaba su interés), ni siquiera tenía tiempo de echar de menos a Julia. Y, cuando eso me sucedía (al principio, con más frecuencia, pero, luego ya, a medida que fue pasando el tiempo, cada vez con menos fuerza e intensidad), me consolaba pensando que lo que había perdido al perderla a ella lo compensaba sobradamente la libertad que ahora disfrutaba. Todavía creía que la pareja y la libertad eran dos cosas incompatibles.

Sin embargo, aquella pérdida comenzó a verse en mis cuadros. Sin que lo percibiera al principio, mi paleta empezó a cambiar y los colores comenzaron a volverse más intensos, al tiempo que desgarrados. Empecé a pintar figuras, retratos de personajes que conocía o que imaginaba y que tenían en común el mismo gesto y la misma expresión en la mirada. La vida que yo vivía se reflejaba en sus rostros, pero yo todavía no era consciente de ello ni de por qué los colores surgían con tanta fuerza, pese a que, en su composición al menos, siguieran siendo los mismos. El rojo, el negro, los ocres, los amarillos napolitanos, todos aquellos colores que ya utilizaba entonces y que aún uso algunas veces como pronto tú descubrirás, parecían de repente cobrar otra intensidad, al tiempo que las figuras, que se me representaban solas y aisladas unas de otras, se volvían más histriónicas. Era como si, al pintarlas, aquellas noches de vino y rosas y los amigos con que las compartía perdieran toda su gracia; como si sus personajes, al pasar por mis pinceles, se volvieran irreales. Todavía conservo algunos cuadros de aquéllos, principalmente acuarelas, y me sorprende que no me diera cuenta ya entonces de hasta qué punto me retrataban.

Mi autorretrato empecé a pintarlo bastantes años después, cuando me empecé a dar cuenta de que me quedaba solo; quiero decir, solo con Eva. Debió de ser aquel año, a la vuelta de Suecia, cuando la dispersión ya anunciada comenzó a mi alrededor y Eva y yo nos quedamos solos en aquella casa de las Salesas que hasta entonces compartíamos con Suso y con Rosa Ramos. Antes, en el 84, ya se había marchado Juan, que se fue a vivir a Menorca (todavía sigue viviendo allí), y antes de él Carlos Cuesta. Fue un tiempo de muchos cambios. Constantemente, por nuestra casa de las Salesas pasaba gente que compartía con nosotros la vida durante un tiempo, hasta que desaparecían, alguno definitivamente. Como las anteriores, nuestra casa era un hotel en el que a nadie se le ponía otra condición, para entrar a vivir en él, que compartir los gastos comunes y un cierto modo de vida: aquella vida sin reglas y sin horarios que nosotros llevábamos entonces.

Eva encajó mal en ella. Aunque se intentó adaptar, ni por carácter ni por costumbre podía vivir así. Ella era escandinava y necesitaba el orden, cosa que con nosotros era imposible. Por otra parte, la casa estaba siempre llena de gente, amigos o conocidos que venían de visita o que estaban de paso por Madrid y que se quedaban con nosotros, a veces durante meses, ante la contrariedad de Eva, que no entendía tanta hospitalidad. En el fondo, lo que Eva deseaba, aunque nunca lo dijera, al menos abiertamente, era quedarse a solas conmigo, allí o en otro lugar.

Aquel verano, antes de ir a Suecia, estaba a punto de conseguirlo. Rosa Ramos se había ido ya del piso y Suso, aunque seguía aún con nosotros, apenas paraba en casa. Como desde hacía ya tiempo, se pasaba los días de bar en bar buscando nuevas conquistas y huyendo de la novela que, según él, quería escribir, pero que nunca empezaba porque todavía no era el momento, decía, de publicarla. Este tiempo todavía no es el mío, argumentaba siempre para explicarlo.

¿Dónde estaría ahora, por cierto? Seguramente, en el cine, o en La Aurora, intentando avanzar en su conquista. Seguramente, no vendría ya y, si lo hacía, sería muy tarde. Y, mientras tanto, yo seguía allí, acompañando a Rico y a César y contemplando el cielo del Limbo, que era el único real. El de Madrid había desaparecido tras el bochorno que lo aplastaba.

—¿Tú crees que lloverá?

—Ojalá —dijo Rico, mirando hacia la puerta, que seguía abierta a la calle. Una calle, la de Santa Teresa, tan vacía como El Limbo.

III

Apenas se veía a nadie. Sólo algún coche de cuando en cuando y el camión de la carbonería de enfrente, aparcado como siempre ante la puerta. Aquel viejo camión de color rojo que parecía estar pintado en el paisaje.

Aunque, a decir verdad, esa noche, todo parecía pintado. La calle, el camión, el cielo, hasta las luces de las farolas parecían dibujadas por un pintor invisible, quizá el mismo que había pintado también el cielo que cubría El Limbo. Aquel cielo negro y gris bajo el que yo estaba ahora sentado.

Desde que lo conocía, seguía prácticamente igual. Acaso una leve pátina depositada en él por el humo lo había oscurecido un poco, pero, en lo fundamental, se conservaba casi como al principio: negro el fondo y grises las estrellas y la luna, cubría por completo todo el techo e incluso se prolongaba por encima de la barra y de los baños. La luna estaba en el centro, o mejor: la media luna, pues siempre estaba en menguante, y las estrellas se repartían formando constelaciones a lo largo y a lo ancho de toda la superficie; no del techo, sino de todo el local, pues los espejos las reflejaban multiplicándolas hasta el infinito, como si siempre fuese verano.

Aquella noche lo era, y de las más calurosas, y el bar estaba cuajado. A las estrellas del techo se unían las de los espejos y las de las cristaleras del ventanal del fondo, que también las reflejaban (como apenas había gente, el humo no las borraba). En medio de ellas, el bar parecía un espejismo o una barca a la deriva.

—Menos mal que me voy mañana —le dije a Rico, mirando el bar.

—Querrás decir hoy ya —me contestó él, enseñándome la hora en su reloj, que señalaba las doce en punto.

En efecto, era ya la medianoche; las doce en punto de una jornada que parecía que no iba a acabar nunca, pero que avanzaba ya sin que yo me diera cuenta hacia el amanecer. Un amanecer incierto y lleno de soledad.

—¿Tú crees que vendrá alguien?

—Seguro —me dijo Rico, sonriendo—. Siempre acaba apareciendo alguien.

Me admiraba su confianza. Ni en los peores momentos perdía la compostura ni aquel aire indiferente que mostraba hacia las cosas; como si todo le diera igual. Justo lo contrario de lo que me sucedía a mí, que siempre estaba dándole vueltas a todo. Sobre todo últimamente.

—¿Y si no viene nadie? —insistí.

—No importa —respondió Rico, mirando el bar con indiferencia, como solía hacer a esas horas—. Mientras siga habiendo cerveza...

Estaba claro que le daba igual. El bar, el calor, la gente, hasta mi propia presencia parecía no importarle lo más mínimo o por lo menos lo simulaba. Así que opté por seguir callado y regresar a mis pensamientos.

Estaba ya más tranquilo. La inquietud que sentía antes se había ido diluyendo poco a poco no sé si en mi aburrimiento o en el propio bochorno de la noche y en su lugar tenía ahora una sensación extraña: como una mezcla de indiferencia y de resignación ante la situación. Además, la cerveza comenzaba a hacerme efecto. No quitándome el calor, cosa que era imposible (estaríamos a más de treinta grados), sino sumiéndome poco a poco en esa especie de laxitud que te hace ver todo con más distancia. Como si la realidad, de pronto, se volviera más abstracta y más lejana.

Otras noches, en iguales circunstancias, me habría ido del Limbo en busca de otro local o a dar un paseo sin rumbo hasta la hora de ir a dormir. Siempre me ha gustado hacerlo en momentos como ése. Pero, esa noche, no me sentía con fuerzas. Esa noche, la calima era tan insoportable que lo único que me apetecía era seguir bebiendo cerveza hasta que cerrara El Limbo, cuanto más tarde mejor.

Normalmente cerraba hacia las cuatro, aunque, a veces, si había gente, retrasaba ese momento hasta que se iban los últimos (siempre había algún motivo para que éstos se demoraran). Pero, esa noche, no parecía que algo así fuera a ocurrir. Al contrario, era posible que El Limbo cerrara antes habida cuenta de los que estábamos y a la vista de las perspectivas. Hacía ya mucho rato que no aparecía nadie. Aunque a mí no me importaba. Lo que me importaba a mí era pasar esa noche del mejor modo posible y me daba igual que viniera gente o que me quedara solo, con tal de seguir allí.

Porque la alternativa era regresar a casa. Una posibilidad tan alejada de mis deseos como de mis pensamientos aquella noche. Sobre todo, después de estar allí todo el día intentando terminar aquella obra que, al final, acabé rompiendo.

Me ocurría muchas veces desde hacía ya algún tiempo; muchas más de lo normal. Siempre he sido demasiado escrupuloso, incluso casi diría que intransigente a la hora de aceptar y de dar por terminada cualquier obra, pero, en los últimos tiempos, el defecto se me había acentuado (el defecto o la virtud, según cómo uno lo mire). Nada acababa de convencerme. Me pasaba horas y horas, incluso días y meses retocando y dando vueltas a una obra para, al final, muchas veces, acabar rompiéndola o desechándola. Sentía una gran insatisfacción, no sólo al imaginar y definir una idea, sino sobre todo al llevarla a cabo. Era como si de pronto hubiera perdido el pulso, como si las perspectivas se vaciaran de contenido, lo mismo que los colores, y hasta el propio pincel me traicionara. Seguramente influía, ahora que pienso en aquello, la desazón que sentía en aquel entonces, no sólo por mi pintura, sino por mi misma vida.

A veces, lo comentaba con Suso. Era mi principal confidente y el que mejor podía entenderme. Al fin y al cabo, hacía años que me veía pintar cada día. Pero Suso estaba ahora demasiado ocupado en otras cosas; ni siquiera tenía tiempo para mirar lo que hacía. Así que se limitaba a aconsejarme paciencia, que era lo que me aconsejaba siempre para justificarse él mismo por no escribir.

—¿Y si no es cuestión de paciencia? —le preguntaba yo, más escéptico o quizá más inseguro.

—Entonces —me decía él—, lo mejor es que dejes de pintar durante un tiempo.

Pero no era tan sencillo. Quizá para él lo era, habituado como estaba a dar largas a la vida, sobre todo a la hora de escribir (también podía permitírselo), pero para mí pintar era indispensable. No sólo la pintura era mi vida, sino que vivía de ella. Al margen de que Eva me ayudara últimamente.

Lo hacía sin decir nada, sin pedirme nada a cambio, como le pasaba a Mario. Al contrario que María, que le exigía a éste exclusividad a cambio de mantenerlo, Eva se daba por satisfecha mirándome trabajar y creyendo que algún día yo acabaría triunfando. Estaba más convencida de mi talento como pintor que yo mismo en aquel tiempo.

Lo había estado hasta hacía poco. Desde que empecé a pintar y, sobre todo, desde que llegué a Madrid e hice de la pintura mi profesión, pintar era para mí tan fácil como soñar o como imaginar el mundo. Pero, desde hacía algún tiempo, el mundo se me había complicado. Ya no era el cuadro perfecto en que vivía yo entonces, o en el que creía vivir, sino el paisaje inquietante que aparecía en los míos. Aquel paisaje irreal, lleno de hojas extrañas, que pintaba últimamente sin saber por qué lo hacía, pero que se me imponía siempre, pintara lo que pintara.

Era un paisaje fantástico; quiero decir: un paisaje sin conexión con la realidad, y menos con la que yo conocía entonces. La realidad que yo conocía era la de la ciudad y en ella no había paisajes como los que ahora pintaba. Los paisajes de Madrid (del Madrid que yo vivía) eran nocturnos y urbanos y los que yo dibujaba eran mucho más campestres. Aunque, eso sí, muy extraños. No sólo por sus motivos, y por su composición, sino por la pincelada.

Al principio, cuando empezaron a aparecérseme, recuerdo que me gustaron. Evocaban de algún modo los veranos de mi infancia (los que pasé en aquel pueblo del occidente de Asturias en el que vivía mi abuelo) y respondían también a mi concepción del arte: una forma de expresión más allá de la razón. Pero en seguida se complicaron. Aquellas hojas extrañas, como tentáculos verdes, que aparecían tras las figuras comenzaron a crecer y a germinar hasta acabar poco a poco llenando todos mis cuadros. Era un fenómeno extraño. Yo pintaba, por ejemplo, a una niña en un balcón, motivo que, ignoro por qué razón, repetía a menudo en aquel tiempo, y, cuando me daba cuenta, la niña había desaparecido borrada por el paisaje. Era como si de pronto éste se impusiera a todo, como si los personajes perdieran corporeidad, su esencia de seres vivos, y se volvieran también paisaje. Y, al final, todos juntos, personajes y paisaje, formaran un cuerpo único que trascendía a mi voluntad.

Porque mi voluntad aún era la de hacer retratos; retratos de mis amigos o de personas que conocía o retratos de gente imaginaria, pero que me parecía real (me refiero a aquellos cuadros que llenaba de figuras y de rostros sucesivos y que llamé genéricamente *Personajes en el Limbo*). Me refería al mundo y al bar, pero quizá más a éste, que para mí era entonces la metáfora del mundo.

¿De dónde venían, entonces, aquellas hojas extrañas? Y, sobre todo: ¿cuál era su significado?

Aquella noche, en El Limbo, seguía dándole vueltas. Durante todo aquel día, no había dejado de hacerlo, mientras retocaba el cuadro que terminaría rompiendo, pero, ahora, ese pensamiento se me volvía obsesivo. Era como si aquellas hojas siguieran creciendo en él; como si sus verdes sombras (verdes de tanto pintarlas) siguieran en mi conciencia y me impidieran pensar en algo que no fuera ellas mismas. Seguramente, pensé, la culpa la tenía aquella noche, que cada vez era más extraña.

Porque la noche seguía su marcha. Agónica y aburrida, tal como había empezado, la noche seguía su marcha ajena a mis pensamientos y a los de los que me rodeaban. Si es que pensaban en algo. Porque, vistos desde fuera, todos parecían dormidos, de tan quietos y callados como estaban. ¡Qué suerte tienen!, pensé, dando por entendido que no, mientras me levantaba para ir al váter.

Necesitaba estirar las piernas. Comprobar en el espejo que todavía seguía despierto. Refrescarme las ideas y la cara y, sobre todo, poner distancia entre mis pensamientos y aquella noche que parecía que no iba a llegar nunca, pero que avanzaba ya hacia el amanecer con la pasividad de una barca muerta, pero con la irreversibilidad de un viaje. Un viaje que para mí iba a terminar en otro del que aún lo ignoraba todo, pese a que desde hacía ya tiempo lo venía imaginando y esperando.

IV

Lo venía imaginando desde hacía ya dos años; desde que conocí a Eva. Fue, de hecho, lo primero en lo que pensé cuando la vi por primera vez, aquella tarde, en la galería. Algún día, pensé entonces, yo iré con esta chica a su país.

No fue un deseo, fue una premonición. Porque, desde que la vi aquel día, con aquel abrigo negro y aquella melena rubia que parecía un mechón de trigo, supe que iba a cambiar mi vida, pese a que apenas crucé con ella cuatro palabras.

Fue el día de mi exposición, la primera individual que hacía en Madrid. Eva llegó por su cuenta, sin que nadie la hubiese invitado (más tarde me confesó que pasaba casualmente por allí y que, al ver tanta animación, entró a ver la exposición), y, al principio, nadie reparó en ella, salvo Suso.

—¿Quién es ésa?

—¿Cuál?

—La rubia.

No la conocía de nada. No la había visto nunca o, por lo menos, no la recordaba.

—Pues una mujer así no se olvida —confirmó Suso mi pensamiento mientras ella se acercaba lentamente hacia nosotros.

Venía mirando los cuadros. Parecía concentrada en su contemplación mientras a su alrededor la gente hablaba o se saludaba sin prestarles apenas atención. La mayoría eran desconocidos, clientes de la galería o profesionales de las inauguraciones. Gente que yo despreciaba entonces.

—El pintor —se apresuró a presentarme Suso, cuando Eva llegó a nuestro lado.

—Encantada —dijo ella, sorprendida.

—¿Te gusta? —le pregunté, por la exposición.

—Mucho —dijo ella, y pareció sincera al decirlo—: Te felicito.

—Muchas gracias.

—¿De dónde eres? —intervino otra vez Suso, intrigado por su acento, como yo.

—De Suecia.

—¡¿De Suecia?! ¿Y qué haces en Madrid?

—Estudiar —dijo ella, sonriendo.

—¿Y qué estudias?

—Español.

—¿Español? —exclamó Suso, como si le sorprendiera—. Pero si lo hablas perfectamente...

—No es verdad —dijo ella, avergonzada.

—Sí es verdad —confirmé yo, impresionado aún por su aparición.

Alguien llegó a interrumpirnos y ella hizo ademán de despedirse, pero no le di ocasión. No podía dejar que se marchase.

—Hay una fiesta ahora —le dije—. ¿Quieres venir?

—Gracias, pero no puedo —rehusó ella mi invitación.

—¿Seguro? —insistí yo, pese a ello.

—Seguro —respondió ella.

—Nos veremos otro día, por lo menos —insinué yo todavía, por si acaso.

—¡Quién sabe! —me dijo ella, alejándose.

—¡En El Limbo, cualquier noche! ¡Pregunta, que es muy famoso! —alcancé a decirle aún, sin saber si me escuchaba.

Tardé en saberlo algún tiempo, el que pasó entre esa noche y la que apareció en El Limbo, casi dos meses después. Yo casi la había olvidado.

—¡Hola!

—¡Hola!

—¿Te acuerdas aún de mí?

—¡Claro! ¿Cómo no voy a acordarme? Una mujer así no se olvida —repetí la frase de Suso mientras me apresuraba a invitarla a sentarse.

Venía sola, como el día de la galería. Vestía el abrigo negro que también llevaba aquel día y me pareció más rubia de lo que la recordaba. Parecía sacada de una película de Ingmar Bergman.

—¿Qué quieres tomar?

—Un café.

—¿Solo?

—Americano.

Yo había quedado con Mario. Quizá con alguno más. Era una noche de invierno, víspera de Navidades.

—¡Qué sorpresa! —le confesé abiertamente sin saber por dónde empezar.

—¿Por qué? —me preguntó Eva, sonriendo.

—Porque ya no te esperaba.

—Pues ya ves —respondió ella sin dejar de sonreír—. No olvidé tu invitación.

—Me alegro —le dije yo, entusiasmado.

Hablamos hasta muy tarde. Antes de que aparecieran los otros, me la llevé a otro lugar y acabamos en El Sol, que era la discoteca de moda en aquellos tiempos. Por fortuna, apenas me encontré con conocidos que interrumpieran nuestra conversación.

—¿Nos volveremos a ver? —le pregunté, ya en la calle, cuando nos despedimos.

—Quizá —dijo ella, como el día de la galería.

—Quizá no. Yo quiero volver a verte —le dije sin rodeos. El alcohol y la emoción me daban ánimos para hacerlo.

—Pues, entonces, nos veremos —volvió a sonreírme ella, mientras se subía a un taxi.

Nos volvimos a ver en enero, a la vuelta de las Navidades. Eva había ido a su tierra y yo también fui a la mía. Durante todo ese tiempo, no pude dejar de pensar en ella.

—Pensé que ya no volvías —le dije, cuando nos encontramos.

—¿Por qué? —me preguntó ella, extrañada.

—Porque estaba deseando verte.

—Y yo —me confesó Eva a su vez, convirtiéndome en el hombre más feliz de Madrid y del mundo en ese instante.

Nos acostamos aquella misma noche. En su casa, que compartía con una amiga. Nos acostamos aquella misma noche y al día siguiente seguimos juntos y ya no volvimos a separarnos. Sólo queríamos estar a solas.

Al principio, durante los primeros meses, Eva siguió viviendo en su casa, pero, al acabar el curso, se trasladó a vivir a la mía. Aquel año, terminaba sus estudios y con ellos el motivo que la había traído a Madrid. De no haberme conocido, se habría vuelto a su tierra.

Volvió, pero de vacaciones. Añoraba su país, pero le gustaba España. Y eso que los primeros meses fueron muy duros, según me contó ella misma. Apenas conocía a nadie.

Eva era de Estocolmo. Había crecido allí, en las afueras de la ciudad, en un barrio de inmigrantes y de obreros, pero procedía del norte, de donde habían venido sus padres. O, mejor dicho, su madre. Su padre los había abandonado, al parecer, cuando Eva era muy pequeña y, pocos años después, aquélla se trasladó a Estocolmo en busca de otro futuro. Eva recordaba aún la llegada a la ciudad de la mano de su madre y de su hermano y la desilusión que sintió al llegar a la estación y ver que nadie los esperaba. Eva estaba convencida de que iba a ver a su padre.

Vivió allí hasta que vino a España. Lo hizo para perfeccionar su español, que había estudiado en la Universidad con ayuda de becas y de su propio trabajo. Como todos sus amigos, a los dieciocho años, Eva se había independizado y desde entonces vivía sola en la ciudad, en un piso de alquiler que seguía conservando todavía. Se lo había prestado a una amiga mientras ella estaba en España.

Iba a estar sólo aquel año. El que duraba el curso de su licenciatura y que le daría el título de profesora de español. Pero aquel curso se prolongó dos años. Los que hacía ya que la conocía la noche en la que yo recordaba aquello.

Habían pasado muy rápido. Más incluso de lo que yo mismo pensaba (últimamente el tiempo se me escapaba como si fuera un pez de las manos). Además, aquellos años habían sido tan intensos que me parecían meses, ahora que los recordaba.

El primer año, Eva y yo lo pasamos prácticamente juntos. Ella aún no trabajaba y teníamos todo el día para nosotros o para estar con nuestros amigos. Eva seguía viviendo en su casa, pero la mayoría de las noches se quedaba a dormir conmigo. Luego, cuando se trasladó a vivir definitivamente a mi casa, ni siquiera necesitó ya ir y venir, como había hecho durante meses.

Fue un año para el recuerdo. Por lo menos para mí. Después de varios sin rumbo fijo, cuando ya empezaba a cansarme de perder el tiempo buscando lo que ni siquiera sabía qué era, volvía a encontrar la estabilidad que había perdido al dejar a Julia. Una estabilidad que yo entonces desprecié, en aras de la libertad, pero que echaba de menos desde hacía tiempo, pese a que nunca lo reconociera en público.

Eva se encargó de dármela. Con su dulzura y su suavidad, Eva me devolvió la tranquilidad que ya empezaba a desear y que me permitió de nuevo concentrarme en la pintura, que era lo que deseaba. Aquel invierno, además, ella empezó a trabajar. Como lectora de inglés, en una escuela de idiomas. Un trabajo eventual y pasajero, pero que le permitía vivir e incluso ayudarme a mí cuando las cosas no me iban bien. Algo que me sucedía a menudo, si no vendía algún cuadro.

Pero Eva añoraba su país. Aunque le gustaba España (y aunque nunca demostró deseos de regresar, al menos durante el tiempo que compartió su vida conmigo), añoraba su país y soñaba con el día en que yo pudiera ir a conocerlo. Algo que para mí era otro sueño, puesto que apenas ganaba entonces para vivir.

Pronto, no obstante, el sueño se hizo posible. A raíz de una nueva exposición (la segunda en año y medio), vendí algunos cuadros más y, aunque lo celebré como de costumbre, esto es, invitando a mis amigos a cenar y a tomar copas durante varios días, al final pude ahorrar el dinero necesario para el viaje. Tampoco necesitábamos demasiado, puesto que en Estocolmo teníamos su casa.

Durante toda la primavera, Eva estuvo preparando el viaje. Con ayuda de sus fotografías, que ya me había enseñado muchas veces, y de una guía de Suecia, me mostraba los lugares que quería visitar y a la gente que veríamos a lo largo de nuestro viaje. Un viaje que se presumía muy largo, puesto que su deseo era llevarme a su pueblo, que estaba a mil kilómetros de Estocolmo, casi al lado de la raya con Finlandia.

Yo la escuchaba con atención, más por ella que por mí, consciente de que, al hacerlo, contribuía a aliviar su nostalgia. Un sentimiento que yo entendía muy bien, puesto que, a veces, me embargaba a mí también, al recordar mi tierra y a mi familia. Aunque los tenía más cerca que ella, también yo los añoraba.

Pero, a medida que el verano se acercaba, comencé a dudar del viaje. Más que del viaje en sí, de su oportunidad. Desde hacía tiempo sentía que una etapa de mi vida se acababa aquel verano y me daba miedo tener que enfrentarme a ello cuando regresara de él. Pero a Eva no podía confesárselo. Ni siquiera podía dejar que lo intuyera. Ella era en gran parte la culpable de lo que estaba pasando entonces (no por ella, sino por el momento en el que apareció en mi vida) y, además, estaba tan feliz con aquel viaje, el primero en que la acompañaba a su país, que cualquier duda por mi parte la habría decepcionado. Por eso, hasta el último momento aparenté que seguía manteniendo la ilusión del primer día e incluso, aquella mañana, se lo había repetido una vez más. Algo que de ningún modo era cierto, por cuanto desde hacía días la sola idea de irme de viaje me perturbaba.

Me perturbaba y me daba miedo. Miedo al viaje y miedo a regresar y miedo, sobre todo, a enfrentarme a mi futuro; un futuro que veía cada vez con más temor. Por eso estaba tan raro (nervioso, pensaba Eva) y por eso, ahora, en El Limbo, mientras en la soledad del váter intentaba despojarme del bochorno de la noche y los recuerdos, yo me sentía tan solo, tan melancólico, pese a que Eva estaba conmigo.

V

Cuando regresé del váter, todo seguía en su sitio: César tocando el piano, Rico sentado en su sitio, Julito y Pepe en torno a la barra... Pero ahora los veía diferentes. Con las ideas más frescas y el pelo recién mojado, todo me parecía aún más quieto, como si mi despertar hubiera coincidido al mismo tiempo con una mayor postración de aquéllos. Seguramente, pensé, así me debían de ver ellos a mí, sólo que yo no me había dado cuenta antes.

—¿Otra cerveza? —le dije a Rico, al volver.

—Si insistes... —aceptó él, reclamando con un gesto la presencia de Julito en nuestra mesa.

Julito llegó en seguida, trayéndonos las cervezas. Ni siquiera hizo falta que se lo especificáramos.

—Os vais a emborrachar —eso sí, nos advirtió.

—A ver si es cierto —le dijo Rico, sarcástico.

—Ya. Luego, a ver quién os aguanta.

Julito se alejó con su caminar extraño (era zambo, aparte de homosexual) y El Limbo regresó a la postración en la que permanecía desde hacía horas. Incluso, me parecía más decadente que antes.

—Esto parece el Titanic —le dije a Rico, indicando el bar.

—¿Tú crees? —me respondió éste, mirándolo.

—Sólo faltan los icebergs —proseguí, contemplando hasta qué punto en aquel momento El Limbo respondía a aquella imagen.

En efecto. Salvo los icebergs y el calor, todo en él lo recordaba: el pianista, la tripulación impávida, los pasajeros inmóviles esperando en nuestros sitios, igual que los del Titanic, el inminente naufragio... Hasta los ventiladores, con su ruido persistente y circular, parecían anunciar la proximidad del drama.

—Pues habrá que echarse al mar —me dijo Rico, sarcástico, contemplando también él la paz que nos rodeaba.

La paz se quebró de pronto al dejar de tocar César. El silencio que siguió hizo que algún cliente se despertara.

—¿Qué hora es? —se oyó preguntar a uno.

—Las doce —respondió Pepe.

En realidad, era ya mucho más tarde: las doce y media, según el reloj del bar, que era el único a la vista. Buena hora, pensé yo, para que llegara Suso.

Pero Suso no llegaba. Ni Suso ni ningún otro. Desde hacía un rato, incluso, ni siquiera se veía pasar gente por la calle. ¿Quedaría alguien en Madrid?

Sí, sin duda quedaba alguien. Aparte de los que estábamos en El Limbo y de los que también habría en los bares y terrazas de la zona, quedaban Suso y Eva y algunos más como ellos. Gente que estaría esperando, como nosotros, que la tormenta llegara al fin.

Pero tampoco ésta llegaba. Incluso, desde hacía rato, parecía todavía más lejana. Ni siquiera se veían ya relámpagos a lo lejos.

Otra noche, hacía ya años, había vivido algo parecido. No era verano, sino febrero, y hacía frío aquella noche. Según la radio, unos militares habían tomado el Congreso (fue la última intentona del franquismo) y la ciudad estaba desierta, con todo el mundo en sus casas. En la nuestra, aquella noche, nadie se fue a dormir. Quien más quien menos tenía miedo y todos permanecimos despiertos hasta el final; hasta que la radio dijo que todo había terminado. La intentona militar se saldó sin consecuencias (para lo que podía haber sido), pero el silencio de aquella noche se me quedó grabado en el alma. Era un silencio inquietante, oscuro, como la noche. Un silencio tan hostil como el que ahora me rodeaba.

El silencio se rompió en cuanto César volvió a tocar. *Yesterday* fue la canción que eligió para seguir. Sin duda, un tema muy apropiado para lo que estaba pensando yo.

—¿A ti te preocupa el tiempo? —le dije a Rico, por la canción.

—¿El tiempo? —me preguntó.

—El tiempo. El que se nos va.

—Como a todos, supongo —dijo él.

—Ya. Pero a unos les preocupa más que a otros.

—¿Tú crees?

—¿Tú no?

—No sé —me contestó él con indiferencia, a la vez que me ofrecía otro cigarro. Era su forma de decirme que la conversación no le interesaba.

—Pues a mí sí me preocupa —insistí yo, sin embargo.

—Eso es que te estás haciendo viejo —me dijo él, sonriendo.

—Será —le respondí yo, encendiendo el cigarrillo y volviendo a los recuerdos que la música de César me traía.

Eran recuerdos de hacía ya años. Recuerdos de aquella época en la que todavía yo estaba descubriendo la vida y la ciudad y no, como ahora, añorándola. ¿Sería verdad que me estaba haciendo viejo?

Me revolví en la silla, nervioso. Cuanto más me esforzaba en no pensar, más me llevaban los pensamientos en dirección a la misma idea. ¿Sería la música la culpable?

¿La música o la cerveza? Porque, entre unas cosas y otras, ya me había tomado cuatro. Pese a lo cual, seguía sudando como si el cuerpo no las notara.

Y es que el bochorno era cada vez más fuerte. La poca gente que había guardaba un hondo silencio, como si de esa manera quisieran contrarrestarlo, y hasta César, en su sitio, parecía adormilado. Sólo los ventiladores seguían girando en el techo, esparciendo el calor entre las mesas, más que ayudando a aliviarlo.

Otra noche, a la hora a la que estábamos, El Limbo habría sido un infierno con el calor que ahora hacía. Por eso, hasta agradecía que apenas hubiese gente. Ya me había resignado a pasar la noche solo y ahora hasta me gustaba.

Cada vez me gustaba más. Estar solo, me refiero. Al contrario que de niño, cuando constantemente buscaba la compañía de otras personas, de mis hermanos, de mis amigos, con tal de no estar a solas, en los últimos tiempos me había vuelto más exigente y, por lo tanto, más solitario. Me gustaba pasear por la ciudad mirando, al pasar, a la gente, y también estar en casa cuando ésta estaba vacía. Aunque esto era más difícil. Aunque, desde hacía ya tiempo, nuestra casa ya no era la pensión abierta a todas horas que fuera durante años, todavía seguía atrayendo a las visitas y sirviendo de refugio a algún amigo. Pero, aun así, conseguía quedarme a solas en ella. Sobre todo aquellos días en los que las tormentas habían barrido Madrid.

Por las mañanas, especialmente, solía estar solo en casa. Eva se iba a trabajar y Suso y quien estuviera dormían hasta muy tarde. Entonces, yo me ponía a pintar y lo hacía hasta bien avanzado el mediodía sin que nadie interrumpiera mi trabajo. Por las tardes, en cambio, eso era más difícil. A partir del mediodía comenzaba a llegar gente (o a despertarse, la que había en casa) y el salón se convertía en una especie de embarcadero en el que todos desembocaban. Así que difícilmente podía seguir pintando.

Aquella tarde, no obstante, había podido pintar. El bochorno y la tormenta no sólo barrían las calles, sino que desanimaban a las visitas. Así que pude estar solo y pintar durante horas, protegido, como el resto de la gente, del calor tras las persianas a medio echar.

Tras las persianas a medio echar y con el ventilador al lado, pasé, en efecto, aquel día pintando y oyendo música y sintiendo, sobre todo, a medida que las horas transcurrían, una enorme y creciente frustración; la frustración que me producía observar cómo las horas pasaban detrás de aquéllas mientras yo le daba vueltas y más vueltas a aquel cuadro que quería terminar antes de irme.

Era un cuadro muy sencillo, un óleo sobre madera que quería darle a Eva como recuerdo de aquel verano. Se llamaba precisamente así: *El verano*. Representaba un Madrid vacío (el que veía desde hacía un mes) y había empezado a pintarlo hacía ya varios días con intención de acabarlo pronto. Pero no lo conseguí. No acababa de gustarme. Por más que lo retocaba, no lograba trasmitirle la emoción ni el impulso que lo habían originado. Al contrario, cuanto más lo corregía más se alejaba de aquéllos, o así me lo parecía. Por eso, aquella mañana, empecé a llenarlo de hojas, no porque el cuadro me las pidiera, y por eso lo rompí cuando, después de pintarlas durante toda la tarde, me di cuenta de que eran solamente una disculpa para disimular mi incapacidad.

Pero ahora aquella imagen la tenía ante mis ojos: desnuda, resplandeciente, sin nadie que la borrara. Aunque cerrara los ojos, no podía rechazarla. No tenía otro remedio que continuar pintándolo, una hoja y otra hoja y, así, hasta el infinito, mientras la noche seguía su marcha en dirección al amanecer y la tormenta se iba acercando.

Una tormenta, la de aquel día, que parecía que iba a arrasar Madrid.

VI

—¡Bebed, que el mundo se acaba!

La voz de Cubas me despertó y me sobresaltó a un tiempo. A mí y a todos los que estábamos en El Limbo. Era una voz cavernosa, siniestra, como su dueño.

—¿Estás seguro, Cubas? —le preguntó Julito desde la barra.

—Por supuesto —dijo Cubas, saludándonos a todos con un gesto y ocupando una mesa al lado de donde estábamos Rico y yo.

—El que faltaba —me dijo éste, mirándolo.

Lo dijo con ironía, como si le diera igual. Y, la verdad, poco debía de importarle que hubiese llegado Cubas o que, en efecto, llegase el fin del mundo, como éste venía anunciando. Aunque se veía que Cubas le incomodaba un poco con su presencia, como les pasaba a muchos. Por eso andaba solo por los bares.

Pobre Cubas, tan culto y tan solitario. Sus amigos, si es que alguna vez los tuvo, lo habían abandonado igual que a un coche inservible y de su familia tampoco sabía nada. Según él mismo contaba, le había retirado hasta el saludo, al parecer, después de manchar su nombre disfrazándose de obispo e intentando decir misa en la catedral de Astorga, en un gesto iconoclasta que le costó el destierro de su provincia y el aborrecimiento de su familia, que lo desheredó en favor de sus hermanos. Unos hermanos que desde entonces nunca más volvieron a preguntar por él.

—¿Y tú por ellos?

—Tampoco —decía Cubas, muy digno, cuando se lo preguntábamos.

Pobre Cubas, tan culto y tan desgraciado. Él sí que se iba a quedar aquel verano en Madrid, igual que todos los años. ¿Adónde podía ir? Ni tenía familia, ni amigos, ni dinero para irse. Por no tener, no tenía ni donde caerse muerto, aunque a él no le importara.

No era el único en aquellas circunstancias. Sin necesidad de salir del Limbo, podía citar a varios. A Romero, por ejemplo, el poeta conceptual, como él se autodefinía, que nunca tenía dinero para poder pagarse el café, pese a ir siempre trajeado y con corbata, o a Cecilio, el anarquista, cuyo relato del atentado que perpetró contra Franco en pleno Valle de los Caídos hacia finales de los cincuenta (el único, según él, que sufrió el dictador, bien es cierto que sin llegar a enterarse: al parecer, la bomba de Cecilio hizo explosión a más de dos kilómetros de aquél y diez minutos después de que se hubiese marchado) apenas le servía ya para pagar la pensión y las facturas del restaurante donde comía todos los días. Pero eran hombres felices. Al menos, yo nunca los vi quejarse de su infortunio, ni en público ni en privado. Al contrario, estoy seguro de que se consideraban unos privilegiados.

Y lo eran, a su modo. Vivían como querían, sin tener que trabajar ni obedecer a nadie, se dedicaban en cuerpo y alma a sus aficiones (la poesía conceptual, en el caso de Romero, y la revolución, en el de Cecilio y Cubas) y eran dueños absolutos de sus actos. Aunque tuvieran que pagar un alto precio por ello. El precio de la libertad, como lo llamaba Mario.

Pobre Mario. ¿Acabaría un día como ellos? ¿Acabaría un día como Romero, contándoles a los jóvenes sus *éxitos* literarios, o, al contrario, triunfaría de verdad y se convertiría en un escritor de culto? ¿Y yo? ¿Qué suerte me esperaría cuando pasaran los años?

Volví a encender un cigarro. Le ofrecí otro a Rico, que seguía ausente, como si a él no le preocupara nada. Era su actitud de siempre, sólo que acentuada esa noche por el calor.

—Trae —murmuró, sin cambiar el gesto, aceptando el cigarrillo que le daba—. A ver si reventamos de una vez...

Nosotros no, pero El Limbo estuvo a punto de hacerlo al contacto con la llama del mechero; tan tensa estaba la atmósfera. Parecía como si ésta, en lugar de oxígeno, tuviera electricidad.

—Como no descargue pronto —le dije a Rico, mirando el cielo—, va a ocurrir una desgracia.

Estaba negro, como la noche. Como el del Limbo, sólo que sin estrellas. Las ocultaban las nubes que, desde hacía ya una semana, sepultaban los tejados y las luces de Madrid y las antenas de las televisiones, que eran lo único que se veía. Porque el cielo no se veía. Era una mancha borrosa que se ocultaba detrás de aquéllas y que se resquebrajaba sólo cuando, en la madrugada, las tormentas conseguían finalmente desatarse. Aunque esto no ocurría siempre. Había noches, al contrario, en las que el calor era tan intenso que las nubes se quedaban suspendidas en el cielo, como si estuvieran muertas, hasta que desaparecían con el amanecer sin conseguir arrojar su carga. Y, al día siguiente, el calor era aún más insoportable. Era lo que sucedía aquel día y lo que sucedería al siguiente, si es que tampoco llovía. De ahí lo de la desgracia.

—Ojalá —me dijo Rico, mirando ahora también el cielo, pero a través del espejo que tenía enfrente, para no tener que volverse.

Lo dijo por decir algo. Por seguirme la conversación. ¿Qué le preocupaba a él, parecía querer decir con su gesto, lo que ocurriera allá fuera, si a él nada le interesaba?

Y, en cierto modo, tenía razón. Si nada le interesaba, si lo único que él quería era seguir bebiendo y fumando igual que todas las noches hasta que cerrara El Limbo o el último bar abierto, si incluso esto podía hacerlo en su casa, ¿qué podía, ciertamente, preocuparle? ¿La soledad? ¿El paso del tiempo? ¿Una simple tormenta de verano?

Pero a mí sí me preocupaban. La soledad y el paso del tiempo y la tormenta que se aproximaba. Que no era sólo la que se veía en el cielo, sino la que se anunciaba detrás de ella. La tormenta de un verano que se iba poco a poco, como todos los veranos de mi vida, sin que me diera tiempo apenas de disfrutarlo.

Y es que, desde hacía ya tiempo, cada verano era como una gaseosa, como uno de aquellos refrescos humildes y prehistóricos que todavía yo conocí en los bares de los pueblos y ciudades de mi infancia y que a mi padre le costaron su primer disgusto serio cuando tenía sólo diez años. Al parecer, a cambio de ayudar a los suyos a trillar todo un verano, mi abuelo le prometió comprarle una gaseosa para él solo cuando llegaran las fiestas, cosa que en efecto hizo, aunque no con los resultados que deseaba. Según contaba mi padre, entre la fuerza de la gaseosa y la emoción del momento, que tanto había esperado, se le fue toda por el suelo sin que le hubiese dado tiempo de probarla.

La historia de la gaseosa, que he contado a mis amigos muchas veces (unas atribuida a mi padre y otras a otros, porque me parece triste; lo entenderás tú también un día), vuelve siempre a mi memoria al llegar cada verano. No al final, cuando ya sé que de nuevo he vuelto a desperdiciar un verano más, como a mi padre le ocurrió con la gaseosa, sino al principio, cuando empiezo a sospechar que volverá a ser así sin que, a pesar de ello, esa sospecha me sirva para parar el tiempo o ralentizarlo.

Normalmente, hasta aquel año, los veranos los solía repartir entre mi Gijón natal, donde me esperaban siempre mis amigos de infancia y de juventud, y la casa que mis padres conservaban en el pueblo de mis abuelos maternos, reconvertida ya hacía algún tiempo —a raíz de la muerte de aquéllos— en casa de vacaciones. Aunque, a decir verdad, yo cada vez iba menos a ésta. Prefería quedarme en Gijón aprovechando que ellos no estaban y desgranar los días entre la playa (la vieja playa de San Lorenzo, en la que aprendí a nadar) y las tertulias en el Café Dindurra, donde me reunía con mis amigos todas las noches. Eran los mismos de hacía ya años:

Ginés, mi compañero del Instituto, Amieva, Toño, Mariano, Manolo el de La Calzada y, sobre todo, Eduardo. Algunos ya no vivían en la ciudad, como yo, pero volvían todos los años.

Y es que para todos nosotros Gijón era una referencia, un lugar de refugio y de reencuentro, un puerto al que regresar cuando las cosas no iban muy bien. Cuando estaba lejos de ella, su perfil difuminado me acompañaba siempre en el horizonte, incluso al cabo de mucho tiempo, y, cuando regresaba, me recibía como esa madre que siempre espera a sus hijos. Ciertamente, había en mi relación con ella un cierto instinto freudiano. El mismo instinto freudiano que me hacía mantener aquellos viejos amigos, a pesar de que la vida nos había ido alejando poco a poco y a pesar de que el tiempo iba dejando su huella en todos nosotros. Un instinto, quizá una necesidad, que ellos debían de sentir también, puesto que todos eran fieles a sus citas con Gijón, especialmente a la del verano.

Yo lo fui durante años. Todavía sigo siéndolo hoy, aunque de forma mucho más breve, entre otras muchas razones porque ya no tengo casa ni familia en la ciudad (a raíz de morir mi padre, mi madre regresó al pueblo y desde entonces sólo vuelve de visita o por alguna necesidad). Pero, a mediados de los ochenta, con treinta años recién cumplidos, mi relación con Gijón era todavía muy fuerte. Aunque llevaba diez años fuera, a los que habría que añadir los tres que pasé en Oviedo cuando comencé a estudiar en la Universidad y volvía solamente los domingos, mi relación con Gijón seguía siendo la del hijo que necesita volver a casa de cuando en cuando.

En Navidad y en Semana Santa, pero sobre todo en verano, jamás falté a mis citas anuales con Gijón hasta aquel año. Aquel año era el primero en el que faltaría a la principal de todas (de hecho, faltaba ya desde hacía un mes), lo cual, aparte de entristecerme, acentuaba la sensación de desvalimiento que desde hacía ya tiempo me perseguía. No sólo iba a cambiar de vida, como intuía desde hacía meses, sino que el cambio ya había empezado.

Y lo peor era que nadie parecía darse cuenta. Ni, en Madrid, mis compañeros de piso y de profesión, ni, en Gijón, mis amigos de juventud. O, si se daban cuenta, lo disimulaban. Quizá porque ellos necesitaban cerrar también los ojos ante la realidad.

Pero la realidad era la que era. Aunque la rechazáramos, como yo había hecho con aquel cuadro que acababa de romper hacía unas horas, la realidad se imponía siempre como si fuera una gran tormenta. Así, al menos, me ocurría cuando, al final de cada verano, me despedía de mis amigos y de las tertulias del Café Dindurra, que terminaban siempre de madrugada en el último bar abierto o en el malecón del puerto, mirando el amanecer.

¡Cómo los añoraba ahora! Desde que empezó el verano, pero sobre todo ahora, cuando se acercaba agosto y, con él, el centro del verano, añoraba aquellas noches y a los amigos con los que las compartía, que estarían ahora, como todos los días a esa hora, en el rincón del Café Dindurra o en la terraza del San Miguel, discutiendo y charlando, como siempre, de lo humano y lo divino, mientras yo asistía aburrido a la desolación del Limbo y sus parroquianos. ¿Se acordarían de mí siquiera?

Sí, seguro que se acordaban. Aunque ya no me nombraran casi nunca, salvo a propósito de alguna anécdota o para preguntarse dónde andaría, seguro que se acordaban, del mismo modo en que yo me acordaba de ellos cada vez con más nostalgia desde hacía más de un mes. Habituado como estaba a compartir con ellos aquellas noches, se me hacía muy extraño estar ahora en El Limbo viendo a la misma gente de todo el año. O, mejor, a la poca que quedaba. Porque cada vez quedábamos menos. Era como si el verano aún no hubiese comenzado para mí; como si, al pasar tan rápido, los recuerdos me arrastrasen sin remedio en dirección contraria a la del verano que, sin embargo, seguía pasando cada vez más silencioso y más fugaz. Y vacío. Porque lo peor no era su fugacidad, sino su inutilidad. No sólo no me servía para llenar mi vida de nuevos sueños, como otras veces, sino que los que tenía se me iban deshaciendo poco a poco como el hielo en las neveras de los bares de Madrid.

Eran los sueños de mi niñez, de mi remota adolescencia, de mi primera, perdida juventud, de la que sólo me quedaban ya cenizas. Eran los sueños de aquellos años en los que yo todavía creía que la vida sólo era una ilusión y no la lluvia que los borraba. Para recuperarlos, para volver de nuevo a sentirlos, para notar su aliento y su fuerza igual que años atrás, necesitaba a aquellos amigos, pero aquellos amigos ya no estaban. Como las nubes de aquel verano, se habían ido alejando poco a poco de mi vida y ahora era yo el que me alejaba de ellos. Como los días. Como las olas del mar Cantábrico. Como la fuerza de la gaseosa que a mi padre le compraron siendo niño para compensar su esfuerzo y su dedicación y que se le fue toda por el suelo sin que le hubiese dado tiempo siquiera de probarla. Así, como mi padre debió de verla, derramada por el suelo y sin sentido y, lo que es mucho peor, sin posibilidad de recuperarla, veía yo aquella noche mi vida, aunque sólo tenía treinta años.

VII

—¿Un cigarro?

No era Rico; era Cubas, que me lo estaba pidiendo. Estaba enfrente de mí, parado junto a mi mesa, señalándome el paquete de tabaco con la mano.

—Coge, coge —le ofrecí yo, al darme cuenta.

Lo cogió y volvió a su mesa. Ni siquiera me dio las gracias. Tampoco yo las quería.

—¿Tienes fuego? —le pregunté, a pesar de ello.

—Tengo —dijo él, encendiendo una cerilla y acercándola al cigarro.

—¿Qué escribirá? —le dije a Rico, mirándolo.

—¡A saber! —exclamó éste, observándolo sin interés.

Nunca lo había pensado. Aunque le veía escribir cada noche, continuamente, desde hacía años, nunca me había parado a pensar qué escribiría y, por lo tanto, lo que soñaba. Porque algo soñaría, como todos. Como Rico. Como César. Como todos los que estábamos sentados en torno a él mientras él seguía escribiendo ajeno a nuestra presencia.

Me pasaba con muchísima más gente. Gente que veía a diario ir y venir por mi lado sin pararme a imaginar qué pensarían o cuáles serían sus sueños. Porque todo el mundo los tiene, incluso los más escépticos. El mío, por ejemplo, aquella noche, era recuperar el pasado, darle la vuelta al tiempo como si fuera un traje ya viejo y recuperar mis sueños de juventud. Aunque ya era un poco tarde. Tarde para conseguirlo y tarde para intentarlo. Quizá lo mismo le pasaba al pobre Cubas, aunque a él desde hacía más tiempo, y por eso escribía tanto.

—Mira, Carlos —decía Suso cuando se ponía serio, cosa que cada vez hacía ya menos—: Sólo se escribe de lo que no se tiene o de lo que se ha perdido. O sea, se escribe sólo desde el deseo o desde la memoria. Porque el presente se vive, no se escribe. Por eso hay que elegir entre vivir la vida o contarla... O entre vivirla o pintarla, claro, en tu caso.

—O sea, que yo no vivo... —le pregunté yo una vez, dándome por aludido.

—Tú sabrás —me dijo él.

Pero tenía razón al decirlo. Suso tenía razón al decirme que en la vida hay que elegir entre vivirla o contarla. O entre vivirla y pintarla, en mi caso. Él lo había hecho, al menos hasta el momento, y por eso no escribía. Prefería vivir a escribir. Pero yo... ¿Lo había hecho también? ¿Había elegido mi vida o era ésta la que me elegía a mí?

Hasta hacía poco, sí. Hasta hacía poco tiempo y durante bastantes años, yo había elegido mi vida dentro de mis circunstancias y de mis posibilidades. Lo hice cuando comencé a estudiar, al elegir la carrera, y volví a hacerlo cuando decidí dejarla. Lo hice cuando me vine a Madrid y lo hice nuevamente, y en bastantes ocasiones, cuando decidí quedarme. Y lo he hecho muchas veces desde entonces, eligiendo a mis amigos y mi forma de vivir y, sobre todo y principalmente, mi manera de enfrentarme a la pintura y a la vida.

Lo único que no había elegido era la profesión de pintor. Aunque para mí pintar era lo más importante, nunca me paré a pensar por qué quería pintar ni de dónde me venía esa afición. Ni en mi casa ni en mi entorno había ningún precedente y hasta que llegué al colegio ni siquiera sabía lo que era la pintura realmente. Y, sin embargo, desde que tengo uso de razón, me recuerdo pintando. Pintando en casa, en Gijón, con aquellas acuarelas que les robaba a mis dos hermanos, o en el pueblo, en el verano, mientras éstos iban al mar a bañarse o, al volver, a las fiestas de los pueblos de la zona. En lugar de ello, yo prefería quedarme en casa pintando o paseando por el campo o por la playa, como hacían los pintores de verdad.

Hasta que llegué a la Universidad, empero, no supe lo que era realmente la pintura. Aunque ya en el Instituto comencé a estudiar su historia y, antes, en el colegio, empecé ya a destacar en las clases de dibujo (unas clases que nos daba un profesor ya mayor que con el tiempo llegué a saber era un pintor conocido), hasta que llegué a la Universidad no comencé a comprender lo que era realmente la pintura. Quiero decir: a saber que no es un oficio, sino una forma de vida.

Lo aprendí no en las clases, que poco o nada tenían que ver con ello (contraviniendo a mis padres, me matriculé en Filosofía e Historia), sino en los bares, oyendo hablar a la gente y viendo lo que pintaban otros pintores e ilustradores que conocí por aquella época. La mayoría eran como yo, jóvenes sin formación ni proyecto pictórico concreto, pero había otros, como Luis Suárez, que, a pesar de su juventud, tenían ya una trayectoria e incluso habían realizado alguna exposición individual en la ciudad. En seguida se convirtieron en nuestros guías espirituales, no sólo en materia artística, sino también, a veces, en la política. Eran los años setenta y Franco y su dictadura estaban ya agonizando.

Cuando me vine a Madrid, venía ya, pues, sabiendo lo que era la pintura de verdad. Por ella había dejado mis estudios de Filosofía, cosa que no me supuso ningún esfuerzo, pese a que me enfrentó a mis padres, y por ella había venido a Madrid, abandonando a aquéllos y la ciudad en la que había vivido hasta aquel momento. Todo lo di por bien empleado con tal de poder vivir y pintar como yo quería: como un pintor de verdad.

Por eso, y por otras razones, los primeros años aquí los viví como un gran sueño. Aunque apenas tenía dinero (el que me enviaban mis padres, que no era mucho; tampoco podían mandarme más) y aunque, al principio, apenas conocía a nadie, solamente a Paco Arias, Madrid fue para mí desde el primer momento la ciudad que yo iba buscando. Una ciudad irreal, pero hermosa y apacible al mismo tiempo, en la que podía pintar y vivir como yo quería.

Así al menos la viví durante años. Pintándola por el día y recorriéndola por la noche, como el pintor que, a la vez, necesita conocer a su modelo. Y amarla, de cuando en cuando. Durante todo ese tiempo nunca me paré a pensar, no ya en mi vida, que me parecía la más normal, sino en mi dedicación exclusiva a la pintura. Porque desde el primer momento ésta fue mi profesión. Independientemente de que me diera para comer o no (cosa que, dicho sea de paso, tardó en pasar aún un tiempo), siempre la consideré así y nunca me pregunté si podría haber hecho otra cosa en lugar de esto. Estaba tan convencido de mi destino como pintor que nunca puse en duda esa vocación, ni siquiera en los momentos más difíciles. Que los hubo, y sigue habiéndolos, a veces bastante duros, no tanto por razones económicas como por cuestiones estrictamente pictóricas.

Así que aquélla era la primera crisis que yo vivía como pintor. Aquella desazón que me embargaba, aquella inseguridad que sentía cada vez que me enfrentaba a una nueva obra y, sobre todo, a la hora de darla por terminada no sólo eran provocadas por el momento que estaba viviendo entonces, sino también y principalmente por una repentina desconfianza hacia la pintura como forma de expresión. Algo que nunca me había pasado hasta aquel momento y de lo que sólo tenía noticias por los demás.

Tarde o temprano te llegará una crisis, me había dicho Paco Arias antes de volverse a Asturias. Me lo dijo una tarde en el Comercial, donde solía quedar con él a tomar café, confesándome de esa manera que él ya la había pasado o que la estaba pasando entonces, quién sabe. Paco Arias, a pesar de no ser mayor que yo, llevaba ya pintando mucho tiempo y tenía o presumía de tener más experiencia.

Pero yo no le hice caso. En aquel tiempo, yo estaba en plena explosión artística y sus palabras me resbalaron en los oídos como la lluvia que caía fuera, sobre el asfalto. Pero las recordé más tarde, cuando aquella desconfianza de la que Paco me hablaba y que me señalaba como la causa de que hubiese estado un año sin pintar empecé a sentirla yo, sin saber a qué obedecía ni por qué me invadía de pronto de aquella forma. Quizá, pensé en un primer momento, se trataba de una duda pasajera que desaparecería como las nubes cuando la tormenta escampa o como los miedos nocturnos cuando empieza a amanecer.

Pero pronto me di cuenta de que aquello era algo más serio. Cuando terminé aquel cuadro (en realidad no lo terminé; lo dejé a medio pintar, boca abajo, entre los otros) y comencé a esbozar el siguiente (en realidad era el mismo, sólo que visto desde otra perspectiva), noté en seguida que no tenía la seguridad de antes. Me faltaba, sobre todo, confianza en mis propias fuerzas. Algo que nunca me había pasado hasta aquel momento y que notaba que iba en aumento, en vez de desaparecer.

Me acordé de Paco Arias. De buena gana le habría llamado, pero me lo impidió el orgullo: yo, que siempre había creído que pintar era tan sencillo... Comentarlo con Suso era imposible (no tenía tiempo para estas cosas) y con Mario había perdido la confianza que tenía. Consciente o inconscientemente, María lo había apartado de mí como del resto de los amigos. Así que sólo me quedaba Eva. Pero con ella no podía hablarlo. Aparte de que quizá lo habría entendido de otra manera, como una crisis vital o, al contrario, como un simple contratiempo pasajero, seguramente pensaría que yo la estaba culpando a ella. Algo que de ningún modo era cierto, pues, de haberlo, yo era el único culpable.

Así, al menos, lo viví desde el principio: como una responsabilidad que sólo a mí concernía y, por lo tanto, como un problema que solamente yo podía solucionar, si es que tenía solución. Porque hasta esto empecé a dudarlo. A medida que los días y los meses transcurrían sin que la inseguridad que sentía se disipara o se redujera (al contrario, iba en aumento), comencé a pensar si mis sueños no habrían sido, en efecto, más que eso: sueños sin ninguna base, y yo un simple aficionado a la pintura. Un vulgar aficionado, como tantos que conocía y había tratado desde pequeño.

Si así fuera, ¿qué vida me esperaría? ¿Qué futuro tendría por delante? Desde que tenía memoria, no había hecho otra cosa que pintar y, en base a esa convicción, había tomado todas las decisiones sin pararme a pensar siquiera que podía, por supuesto, equivocarme. ¿Cuánta gente, al cabo de los años, se da cuenta de repente de que ha equivocado la profesión?

Pero para mí pintar era mucho más que eso. Para mí pintar un cuadro era, más que una profesión o un oficio, una forma de vivir y de sentir. Sin la pintura yo no tenía ni presente, ni pasado, ni futuro. Sin ella yo no sabía lo que era la realidad. Y, sin embargo, cabía la posibilidad de que, durante todos aquellos años, hubiese estado equivocado por completo; que, desde que empecé a pintar, hubiese confiado ciegamente en un talento que en realidad no tenía y que ese error se manifestaba ahora en forma de desconfianza. Pero ¿cómo saberlo con exactitud? ¿Cómo saber si mis dudas eran simplemente eso: dudas sin ninguna base, o signos de algo peor?

Me revolví en la silla, nervioso. Miré a Rico, que seguía fumando y mirando al techo, ajeno a mis pensamientos.

—¡Qué envidia me das! —le dije.

—¿Por qué? —regresó Rico a la realidad.

—Porque sí —le respondí, apurando mi cerveza y cogiendo otro cigarro del paquete que permanecía abierto sobre la mesa—. ¿Quieres uno? —le pregunté.

Me hizo un gesto con el suyo. Todavía lo tenía a la mitad.

—¡Qué envidia me dais los dos! —le dije, encendiendo el mío y señalándole a César con la cabeza.

Rico lo miró, extrañado. Guardó un instante silencio, como si no me hubiese entendido, y después me miró a mí desde detrás del telón de humo que alzábamos entre ambos.

—¿Y eso? —me preguntó.

—Ya ves —le respondí yo.

Aunque, a decir verdad, no estaba tan seguro de lo que dije. Por una parte, es verdad, sentía envidia de él (y de César, y de Pepe y de Julito, y de todos los que estaban en El Limbo aquella noche, incluido el propio Cubas), por su falta aparente de preocupaciones, pero, por otra, me daban pena, aunque fuera solamente por tener que quedarse al día siguiente en la ciudad. Era lo mismo que me ocurría, en mis épocas de universitario, con la gente que veía cuando iba a examinarme, incluido aquel mendigo que vivía en plena playa con un perro, sujetos ambos a la humedad y a las galernas del mar Cantábrico. Hasta ellos me parecían dignos de ser envidiados, aunque solamente fuera por no tener que estudiar.

Pues lo mismo me ocurría ahora en El Limbo: que sentía envidia de todos, incluidos aquellos que, como Cubas, tenían toda una historia de penas a sus espaldas.

—No te engañes —dijo Rico—. No es tan fácil vivir sin ilusión.

—¿Tú crees? —le pregunté yo, extrañado.

—No es que lo crea, lo sé —me respondió él, sonriendo, justo en el preciso instante en que César terminaba de tocar otra canción.

Esta vez, se levantó. Llevaba casi dos horas sin levantarse apenas del sitio, pero ahora se levantó dispuesto a estirar las piernas. Era ya casi la una.

—Aguantáis... —nos saludó.

—¡Qué remedio! —dijo Rico.

Fue todo lo que se hablaron, todo lo que se dijeron después de más de hora y media tocando uno el piano y escuchándole tocar el otro, igual que todas las noches.

César se acercó a la barra. El bar se desperezó ante su presencia en ella (alguno pensó quizá que era alguien que llegaba de la calle) y yo aproveché el momento para llamar de nuevo a Julito. Pedí cerveza para nosotros y para Cubas lo que quisiera. Yo invitaba, le indiqué.

—Un coñac —le pidió Cubas.

—¿Coñac?... ¿Con este calor? —exclamó, más que preguntó, Julito.

—Lo mejor —dijo Cubas, impasible.

Era lo que bebía siempre, tanto en invierno como en verano. Era lo que bebía siempre, cuando alguien, por supuesto, como ahora, le invitaba. Porque él no tenía dinero. Como mucho para el café. Pese a lo cual seguía viviendo y volviendo muchas noches por El Limbo, donde permanecía, cuando venía, hasta que cerraba. En eso era como Rico y como la mayoría de los que estaban aquella noche en el bar. En eso y en su falta aparente de preocupaciones, que me hacía mirarlos con envidia, como, cuando era estudiante, a la gente que veía cuando iba a examinarme, incluido aquel mendigo de la playa de Gijón.

VIII

La una y media y Suso no llegaba. Ni Suso ni la tormenta. Seguramente ya no lo harían, salvo sorpresa de última hora.

En cualquier caso, a mí me daba ya igual. Dentro de unas cuantas horas partiría de Madrid y me daba igual lo que sucediera si, como parecía, la tormenta al final no descargaba y el calor seguía en aumento, puesto que estaría ya lejos. Y, por lo que se refería a Suso, ya lo vería a la vuelta. Al fin y al cabo, hacía meses que apenas lo veía.

Y, sin embargo, era mi mejor amigo. En Madrid, me refiero, claro está. Nos conocimos al poco tiempo de llegar ambos a la ciudad y desde entonces habíamos vivido juntos y pasado en compañía todos aquellos años. Que fueron sin duda alguna los mejores de nuestras vidas, a pesar de las circunstancias.

Y es que aquellos nueve años, los que hacía ya que nos conocíamos desde que nos presentó Julito, que conocía a Suso de la Universidad, habían sido tan intensos, tan repletos de emociones y de historias que contar, que los malos momentos, que los hubo, pronto quedaron en un segundo plano. Máxime con Suso al lado, a quien nada parecía afectarle más de un día.

Era un chico muy simpático, inteligente como el que más. Había estudiado Derecho por imposición paterna, pero lo suyo era la literatura. Por ella había abandonado, como yo por la pintura, sus estudios en la Universidad y, por ella, o en función de ella, había venido a Madrid despreciando un magnífico presente y una prometedora carrera de abogado a la sombra de su padre. Pero tampoco esto lo tuvo muy difícil. Aunque molesto con él, como los míos conmigo, por haber abandonado sus estudios, su padre le financiaba todos los gastos corrientes, al contrario que a mí aquéllos, que, aunque lo hubiesen querido, no habrían podido hacerlo.

Así que Suso, cuando lo conocí, vivía cómodamente e incluso tenía un coche que había heredado de su padre: un Seat 600 de cuatro puertas con matrícula de Pontevedra. Con él se paseaba por Madrid (en una época y a una edad en las que nadie teníamos coche) y con él hicimos todos algunas excursiones a la sierra de Madrid y a ciudades como Ávila o Toledo. Pero Suso no necesitaba el coche para destacar sobre los demás. Aparte de su presencia, que en modo alguno pasaba desapercibida (era el más alto de todos), era también el más ingenioso. Lo cual le convertía casi siempre en el centro de las reuniones y más en aquella época en la que tanto se valoraba la brillantez.

—Mira, Carlos —me decía, cuando ya tuvo confianza—, lo importante no es saber mucho. Lo importante es saber contar lo que sabes.

Lo decía y lo pensaba. Porque Suso no era un cínico. Suso era un soñador, aunque sin ningún escrúpulo: con tal de hacer una frase, podía ofender a quien fuera. Lo cual, lejos de hacerle antipático, le daba aún más atractivo. Sobre todo a los ojos de las mujeres, con las que tenía gran éxito.

Porque Suso era un seductor. Con su casi uno noventa de estatura y su pelo caído hacia los lados, Suso atraía a las chicas como la luz a las mariposas. Lo cual le enorgullecía, aunque fingiera no darse cuenta.

Pero Suso no era sólo un seductor. Aparte de seductor y de poeta notable (aunque pronto abandonó la poesía) Suso era un chico culto y un incansable conversador. Todo lo cual unido le convertía en un líder nato. De hecho, desde el primer momento lo fue de aquel grupo de aspirantes a escritores y pintores que se formó en torno al Limbo al poco de llegar yo.

Es como si todavía lo viera: acaparando siempre las reuniones y protagonizando la conversación. Porque Suso había leído mucho más que los demás. Y había viajado algo. En España y por Europa. Aunque tampoco esto tenía mucha importancia. Porque lo que no conocía, lo imaginaba. O lo inventaba, que era lo mismo. Lo importante para Suso era no quedarse atrás, lanzar la idea más atrevida, decir siempre la última palabra. Suso basaba su liderazgo en su capacidad dialéctica, incluso cuando lo ignoraba todo del tema de conversación.

Yo me di cuenta de ello en seguida. Pese a que, al principio, me deslumbró, como a todos, por su gran inteligencia y brillantez, pronto comprendí que Suso tenía más interés como personaje que, como él pretendía, como escritor. Aunque nunca se lo dije, por supuesto. Ni siquiera andando el tiempo, cuando tuve confianza para ello y razones suficientes para hacerlo, entre ellas su resistencia a escribir. Porque su radicalidad consistía precisamente en eso: en su falta de interés por lo real. A él le daban igual la verdad o la mentira con tal de que fueran bellas. En eso era un escritor puro, aunque no escribiera nada. En eso y en su facilidad para relatar historias, que iba olvidando según las inventaba.

Porque no las escribía. Cuando yo lo conocí, Suso sólo escribía poesía, puesto que la ficción, decía, era la antiliteratura. Luego pasó a sostener lo contrario. Con la misma vehemencia, por supuesto, con la que había defendido lo anterior y con la que defendería, llegado el caso, otra vez la poesía. Porque lo suyo era polemizar. Daba lo mismo de qué se hablara, el tema de controversia. El caso era protagonizar la escena y tener siempre la idea más radical.

Precisamente por eso, Suso me deslumbró en un principio. Nunca había conocido a nadie al que le gustase tanto polemizar y que lo hiciese con tanto estilo. Y es que Suso, de tanto discutir (y de tanto teorizar, cuando nadie le llevaba la contraria), había desarrollado toda una forma de ser que llevaba a todos sus actos. Porque a él le daba igual de lo que se hablara. El caso era discutir, conversar sobre la nada, pasar las noches en vela y acostarse ya de día con el sabor de la noche ida y a ser posible borracho. Borracho de alcohol y humo o borracho de palabras. Era la época en la que vivíamos y era también su carácter.

A mí aquello me gustaba. En Oviedo ya llevaba una vida parecida, bien que con las limitaciones propias de una ciudad más pequeña, y Madrid me cautivó precisamente por eso: por no tener ningún límite. Al contrario: en Madrid todo estaba permitido, al menos para nosotros.

Y es que Madrid era una ciudad distinta. Anclada en medio de la meseta, en el centro de un país que vivía todavía con un pie en el XIX, Madrid era una especie de puerto franco en el que se vivían ya los nuevos tiempos que se avecinaban. Era aquel Madrid antiguo, con serenos y vecinos que fumaban por la noche en camiseta en los balcones, entre los tendederos y los tiestos de geráneos, pero en el que convivían ya, junto con los serenos y las tiendas galdosianas, otras costumbres distintas y otras formas de entender la realidad. Muchas de ellas traídas por los extranjeros que ya entonces comenzaban a asentarse en la ciudad.

En cualquier caso, nosotros vivíamos una ciudad diferente. Aun cuando, en apariencia, compartíamos la vida de nuestros vecinos, nosotros vivíamos una ciudad diferente, sin importarnos mucho lo que pensaran aquéllos. Porque Madrid nos lo permitía. Por talante y por tamaño, Madrid permitía vivir a cada uno como quisiera y eso que todavía eran tiempos de libertad semivigilada. Y vigilante. Raro era el día en el que no ocurría algún incidente aislado o en el que la policía no intervenía en algún lugar.

Pero, para nosotros, esto no era ningún problema. Al revés: era casi otro aliciente y otro motivo de conversación. Acostumbrados como ya estábamos a convivir con la policía, su irrupción grosera y tosca en cualquier momento del día y en cualquier punto de la ciudad no sólo no nos turbaba, sino que se convertía incluso en otro entretenimiento. Especialmente en aquellos años, finales de los setenta, en los que, pese a lo que nosotros mismos pensáramos y dijéramos, el peligro mayor ya había pasado.

Por otra parte, además, nosotros vivíamos aquello de una manera muy distanciada. Aunque comprometidos políticamente, como la mayoría de nuestros conocidos, nosotros vivíamos aquello de una manera muy distanciada, puesto que anteponíamos la vida y el arte a la política. Cuestión que provocaba no pocas ni pequeñas discusiones con los que habían hecho de ésta prácticamente una religión.

Aquel tiempo pasó pronto, por fortuna. Pronto llegó el desencanto, palabra con la que se denominó al fenómeno de desengaño respecto de la política que se estableció en la gente en cuanto los partidos políticos de izquierda abandonaron sus ideales más radicales y un sentimiento agridulce se apoderó de todos, salvo de los que, como nosotros, nunca habíamos creído en aquéllos. Nosotros éramos anarquistas, o al menos eso pensábamos, y como tales seguíamos viviendo, independientemente de lo que ocurriera a nuestro alrededor.

Porque nuestro anarquismo era sobre todo estético. Teórico, en cualquier caso. Un anarquismo teórico que bebía en las fuentes más radicales, las del romanticismo puro, pero que, en la mayoría de los casos, el mío, sin ir más lejos, se traducía simplemente en una actitud. Una actitud estudiada y adoptada muchas veces de propósito, pero que nosotros creíamos sincera todavía en aquel tiempo.

Suso era un ejemplo de ello. De familia de derechas, hijo de un abogado franquista, Suso se declaraba anarquista pese a sus contradicciones. La primera, seguir viviendo de aquélla cuando renegaba de ella y de lo que representaba. Lo cual no sólo no le causaba problemas de conciencia personal o de principios, sino que lo consideraba revolucionario. Según él, seguir viviendo de su familia era una forma de combatir la institución familiar desde dentro.

Por otra parte, además, Suso era muy elitista. Despreciaba el mal gusto y la falta de inteligencia tanto como presumía él de ellos. En esto era igual que Irene, su novia en aquellos años (y la que le duró más tiempo), que, aun feminista y tan radical como él, vestía siempre a la última y vivía todavía en casa de su familia; un imponente chalet, por cierto, en la exclusiva zona de El Viso. Lo cual no le impedía dar lecciones de bohemia a los demás y hasta considerarse la más radical de todas.

Pero, fuera de esas contradicciones o precisamente por ellas, Suso era un chico que no engañaba a nadie. Así lo intuí yo desde un principio y así pude comprobarlo durante los muchos años que compartimos casa y amigos, a solas o con las chicas con las que cada uno estuviera en ese momento. Porque, durante todos aquellos años, los dos cambiamos de estado y de pareja varias veces (él más que yo, por su propia resistencia a prolongar las relaciones). En todo caso y fuera cual fuera en cada momento la situación sentimental y personal de cada uno, nuestra amistad quedó siempre por encima, invulnerable y ajena a cualquier cambio. Solamente tras la aparición de Eva, pero debido más a la dispersión del grupo que ya entonces comenzaba a producirse en torno a nosotros que a la aparición de aquélla, empezamos a alejarnos poco a poco uno del otro hasta llegar al distanciamiento en el que ambos vivíamos entonces, pese a que continuáramos compartiendo la misma casa.

Yo tardé en percatarme de ello. Volcado como estaba en la pintura, acompañado siempre por Eva, yo tardé en notar que Suso comenzaba poco a poco a distanciarse de mí, como antes lo habían hecho los demás. Pero los otros me importaban mucho menos. Incluso Mario, el otro extremo del triángulo que durante mucho tiempo formamos y que se mantenía de alguna forma en nuestro inconsciente, no dejaba de ser un mero apéndice en la estrecha relación que teníamos principalmente Suso y yo. Por eso me preocupaba mucho más su alejamiento. Por eso y porque veía que quizá no fuera un alejamiento coyuntural, como al principio pensé, motivado por las circunstancias (que, al fin y al cabo, tampoco habían cambiado tanto: no era la primera vez que yo vivía con alguien ni que Suso sufría una ruptura), sino el comienzo de una separación que quizá fuera tan natural como lo era el paso del tiempo.

Y es que, sin que nos diéramos cuenta, habían pasado los años. Nueve ya desde que nos conocíamos y otros tantos desde que vivíamos juntos. Porque, a los pocos meses de conocernos, Suso se vino a vivir al piso que Julia y yo habíamos alquilado junto con Julio y con Carlos Cuesta en la calle del Conde de Xiquena. De allí nos fuimos a otro en la cercana calle Barquillo (en el que se nos unió ya Mario), y, así, tras pasar por varios, al de la plaza de las Salesas en el que todavía vivíamos la noche en la que los recordaba. En cada una de esas mudanzas, Suso y yo fuimos cambiando de compañeros, incluso de compañeras sentimentales, pero él y yo permanecimos siempre juntos y juntos seguíamos aún aquella noche, pese a que estaba claro que aquella etapa de nuestras vidas se terminaba. No porque él o yo lo quisiéramos, sino porque las circunstancias ya eran distintas. Ya no éramos aquellos niños que habíamos llegado a Madrid dispuestos a comernos la ciudad, como él decía, y a conquistar su cielo tan renombrado.

—Mira, Carlos —me decía en aquel tiempo, mirando Madrid desde cualquier parte—, ésta es la ciudad perfecta. Aquí nadie te pregunta quién eres ni lo que buscas. Y, a cambio, te ofrece el cielo más hermoso del país.

Lo decía a menudo en aquellos tiempos. A veces, mirando el atardecer desde la azotea (aquella humilde azotea de la casa de la calle del Clavel en la que los vecinos tendían la ropa y desde la que se dominaba todo Madrid) y, otras, de noche, cuando salíamos a la calle dispuestos a comernos la ciudad, como él decía, o cuando regresábamos derrotados de madrugada. Y es que Suso estaba convencido de que Madrid era la ciudad perfecta para llevar a cabo todos nuestros sueños, lo mismo los del amor que los de la literatura.

Yo pensaba como él, pero era más inseguro. O más pobre, quién lo sabe. A mí no me bastaba con vivir como quería, sino que necesitaba a la vez solucionar mi supervivencia. Lo cual me llenaba de incertidumbre, sobre todo algunas noches, cuando me quedaba solo.

—¿Tú crees que triunfaremos? —le pregunté yo una vez, contemplando la ciudad iluminada desde arriba. Hacía sólo unas semanas de mi separación de Julia.

—Ya has triunfado —dijo Suso, sin dejar de mirar al cielo.

—¿Tú crees?

—Mira, Carlos —dijo Suso, arrojando la colilla del cigarro que fumaba hacia la calle—: El éxito consiste en hacer lo que a uno le gusta. O por lo menos en intentarlo.

Tenía razón, como de costumbre. Como era habitual en él, Suso iba por delante de todos los demás y adivinaba ya lo que el resto ni siquiera alcanzábamos aún a sospechar; sobre todo, los que, como era mi caso, aparte de soñar con el futuro, teníamos que resolver al mismo tiempo el presente, puesto que nuestras familias no podían o querían ayudarnos.

Por eso, en aquellos años, Suso fue tan importante para mí. Al contrario que el resto de los amigos, Suso tenía ideas propias y las llevaba a la práctica con todas las consecuencias. En eso era coherente consigo mismo y con los demás. En eso y en su forma de entender las relaciones, que para él eran lo más importante. El amor se pasa, decía; la amistad, no. Por eso, cuando la dispersión del grupo empezó y cada uno tomó su rumbo en Madrid o fuera de ella, según las aspiraciones y sueños de cada cual, Suso la interpretó como una traición a él y se separó de todos, convencido de que era inútil esperar nada de la gente.

De mí tardó en hacerlo más tiempo. Aun a pesar de algún desencuentro y de las discusiones a las que acostumbrábamos (sobre todo a raíz de aquello), de mí tardó en alejarse, aunque terminaría haciéndolo también. Sutilmente en un principio y luego ya abiertamente, cuando Rosa se fue también de casa y nos quedamos solos en ella, junto con Eva. Que quizá era lo que Suso más temía: enfrentarse a la evidencia de que las cosas habían cambiado y de que aquel grupo de amigos, antaño tan numeroso, se había reducido ya a un triángulo amoroso y amistoso del que, lo quisiera o no, él era la parte débil. Un triángulo amoroso y amistoso que era todo lo que quedaba de aquellos años que tanto él como yo nos resistíamos a dar por finalizados.

Pero se habían acabado, a nuestro pesar. Lo demostraba la desbandada que en torno a nosotros se producía (como cuando, a la llegada del invierno, las aves buscan cobijo, a solas o por parejas, en lugares más calientes y seguros) y lo demostraba el hecho de que Suso contemplara aquel fenómeno como si fuera una claudicación. Una claudicación ideológica que, aunque esperada, lo entristecía y en la que terminó incluyéndome cuando, a raíz de quedarnos solos, se dio cuenta de repente de que mi relación con Eva era más fuerte ya que nuestra amistad. Por eso, se alejó también de mí, aunque siguiera viviendo en casa aún bastante tiempo, y por eso dejó de aparecer por los lugares donde sabía que yo estaría, comenzando por El Limbo, que era como su segunda casa. Pero lo que yo no esperaba (y me resistía a aceptar aún, pese a que todo lo indicaba así) es que tampoco fuera a venir esa noche, sabiendo, como sabía, que al día siguiente yo me marchaba. Es decir: sabiendo que aquella noche era la última de nuestra juventud.

IX

—¿La última? —me preguntó Rico, sorprendido.

En lugar de responderle, le señalé su cerveza. La tenía ya vacía, como yo.

—¡Ah! —me respondió, comprendiendo—. ¿Y por qué la última?

—Porque me voy —le dije, contemplando una vez más la postración en la que El Limbo seguía sumido.

El humo lo acentuaba. El humo y su decadencia, que iba en aumento, pese a que parecía imposible que pudiera aumentar todavía más.

—¿Tan pronto? —me dijo Rico, extrañado.

—Quiero dar un paseo por ahí.

Acababa de pensarlo. Acababa de pensarlo y decidirlo después de aceptar que Suso ya no iba a aparecer. Que era la verdadera razón que me retenía en El Limbo desde hacía horas, aunque me molestara reconocerlo.

Me molestaba por lo que suponía: que lo que Suso hiciera o no hiciera seguía afectándome aún. Y porque, aunque era más que evidente, me resistía a aceptar que no apareciera, sabiendo, como sabía, que yo estaría esperándolo.

—Te noto un poco nostálgico —me dijo Rico, mirándome.

—¿Nostálgico? —le negué yo con el gesto.

Pero lo estaba. No aquella noche, sino desde hacía ya tiempo. Quizá desde hacía ya años.

En realidad, siempre he sido algo nostálgico. Más que nostálgico, melancólico. Desde que llegué a Madrid sobre todo, siempre he sentido esa ausencia que te hace volver la vista continuamente hacia atrás como si sospecharas que, mientras estás viviendo, el tiempo va borrando tu pasado sin remedio. Una melancolía que inunda toda mi obra, pero que, en la realidad, yo he disimulado siempre porque me parece impúdico dejar que tus sentimientos afecten a los demás.

—Lo que estoy es cansado de Madrid —le dije a Rico, muy serio.

Rico me miró extrañado. Sin duda a él esa confesión debía de sorprenderlo, por cuanto él adoraba la ciudad en que nació y en que vivía. Rico no concebía otro sitio en el que poder vivir que Madrid, incluso en las vacaciones. Por eso me miró de aquella forma, como si no me hubiese entendido, y por eso llamó a Julito en lugar de contestar a mis palabras.

—¿Otras? —nos preguntó Julito, acercándose.

—Las últimas —le dijo Rico.

Julito volvió a la barra en busca de las cervezas llevándose al mismo tiempo las que ya estaban vacías. Por el camino, se cruzó con César, que volvía hacia su sitio.

—¿No se cansará nunca? —le dije a Rico, mirándolo pasar.

—No lo sé —me dijo Rico, sin reparar siquiera en su viejo amigo.

Rico estaba ahora pendiente de lo que ocurría en la calle. Un fuerte golpe de viento había cerrado la puerta, provocando un gran estruendo y el sobresalto de los que estaban cerca.

—¡Ya está aquí! —dijo alguien, asomándose a mirar.

En efecto, un fuerte viento y un remolino de hojas anunciaban ya en la calle que la tormenta estaba llegando. Se notaba su olor en el ambiente.

—Me temo que no vas a poder irte —me dijo Rico, sonriendo.

Se ve que lo agradecía. Como todos los que estaban en El Limbo a aquella hora, Rico esperaba que comenzara a llover, porque así nadie podría marchar del bar en un rato. Y, mientras hubiera gente, éste no cerraría. Que era lo que a él le importaba.

A mí al revés: me daba lo mismo. Decidido como estaba a marcharme ya del Limbo, me daba igual que cerrara ahora o que siguiera abierto toda la noche, como sucedía a veces en el invierno. Aunque también yo esperaba la lluvia por ver si así refrescaba un poco.

—Las cervezas —nos anunció Julito, trayéndolas.

Estaban frías, como las anteriores. Casi más frías, incluso. Debía de ser que el calor me hacía sentirlas así.

—Cobra todo —le dije yo a Julito, alargándole un billete.

—¿Todo? —me preguntó Julito, extrañado.

—Mañana se va de vacaciones... —aceptó Rico mi invitación.

Julito cogió el billete y regresó a la barra a buscar la vuelta. Por el camino, el viento volvió a cerrar la puerta.

—¡Va a caer una! —exclamó, acercándose a abrirla.

Pero nadie se inmutó, fuera de él. Ni Cubas, que estaba absorto, ni Rico, que ni miró, ni César, que, en ese instante, comenzaba a tocar otra canción: *La vie en rose*, de Edith Piaf.

—Por tu viaje —brindó Rico, golpeando su cerveza con la mía.

—Por el tuyo —ironicé, brindando y dándole un trago.

Estaba helada, como la copa. Más fría incluso que ésta. Me resbaló por el pecho abajo, abriéndomelo como un cuchillo.

Era la quinta cerveza de aquella noche. La quinta fuente de espuma que me estallaba en el paladar y me bajaba por la garganta igual que el humo de un cigarrillo. Y es que, en el fondo, eran lo mismo: un cosquilleo picante que me estallaba en el paladar, sólo que uno era ardiente y el otro helado. Aunque los dos me quemaban.

Eran como los recuerdos. Agridulces o vacíos, todos de alguna manera terminan siempre por abrasarte. Me pasaba aquella noche y me continúa pasando. Especialmente cuando recuerdo aquel tiempo que viví en Madrid al llegar y que recordaba ahora mirando tocar a César. Sin saberlo, él me obligaba con su música.

Años de la vida en rosa. El mismo rosa irreal que yo pintaba en mis cuadros y que tomaba de aquellos cielos que contemplaba al atardecer, o al amanecer, al volver a casa. Aquel rosa desgarrado y palpitante con el que inevitablemente surgen aquellos años en mi memoria, pese a que seguramente nunca fueran de ese color. Lo cual me importaba poco, aquella noche, en El Limbo.

Aquella noche, en El Limbo, yo recordaba aquel tiempo envuelto en un rosa suave, igual que ahora recuerdo aquélla pintada de negro y gris. En cualquier caso, ambos colores no eran colores reales. Ni lo era el gris, que más bien venía del cielo (el cielo inmóvil del Limbo), ni lo era el rosa intenso con el que pintaba el tiempo. Un tiempo que recordaba a la vez que lo pintaba, del mismo modo en el que lo hago cuando lo recuerdo ahora.

Al final viene a ser lo mismo. Recordar y pintar viene a ser lo mismo, aunque no nos demos cuenta. Yo, al menos, no me la daba mientras recordaba entonces oyendo tocar a César y, por eso, estaba seguro de que los años que recordaba habían sido todos rosas, cuando la realidad era muy distinta. Los había habido rosas, pero también grises y hasta negros.

Los últimos, sobre todo, estaban llenos de claroscuros. Pasados los dos primeros, de los que ni siquiera llegué a saber su tonalidad, tan rápido se pasaron, el resto, principalmente los últimos, estaban llenos de claroscuros. A la batalla por la supervivencia se empezó a unir el dolor de las primeras rupturas sentimentales.

La primera, y la más triste, fue sin duda la de Julia. Fue la que tiñó de gris el cielo azul de Madrid y la que dejó en mí esa tristeza de la que nunca he podido ya librarme. Pero hubo muchas más: la de Lucía, la chica con la que estuve a continuación (apenas dos o tres meses), y las de las que le sucedieron. Y también las de la gente con la que fui trabando amistad y que perdí por una u otra razón, muchos de ellos para siempre, como a Pedro. Se quitó la vida una noche, en la pensión en la que vivía, sin dar ni una explicación.

Pero, fuera de esas rupturas y de algún que otro desengaño (la mayoría de ellos relacionados, cómo no, con las mujeres), en conjunto aquellos años los recuerdo todos teñidos de rosa. No el rosa cursi de las novelas de amor baratas o de las películas hollywoodienses de los cincuenta, sino el rosa ensangrentado que tiñe el cielo de Madrid algunos atardeceres, no porque así lo sea realmente, sino por imitación del que sus artistas plasmaron en sus pinturas. Ese rosa ensangrentado e inconfundible, como de postal antigua, que también aparece de cuando en cuando en mis cuadros, principalmente en los de aquel tiempo.

Porque aquel tiempo era el de las ilusiones. Y el del amor. Y el de los descubrimientos. Un tiempo lleno de sueños y de continuos cambios y encuentros que yo recordaba ahora, a punto de darlo por finalizado. El piano de César y Edith Piaf me obligaban a hacerlo, a pesar mío.

El piano de César y Edith Piaf y la melancolía que me embargaba. Una melancolía que acentuaba la proximidad de la despedida y a la que daba un halo de dramatismo la amenaza de la tormenta. Menos mal que la cerveza, con su cosquilleo helado, me devolvía a la realidad por encima de todos los recuerdos.

Pero la realidad ya no era la misma; quiero decir: la de cada noche. Poco a poco, como todo en torno a mí, la realidad se había deshecho, no sé si debido al humo, al calor o a la cerveza. O a las tres cosas al mismo tiempo.

En cualquier caso, cada vez me costaba más identificar en ella a las personas y los objetos que aquella noche me rodeaban. Que eran los mismos de cualquier otra, sólo que difuminados ahora por el calor.

Era como si flotaran. Como si, al pasar las horas, unos y otras perdieran definición, como sucede con esas fotos que se hacen en movimiento. Tanto el bar como la gente los veía desenfocados, como me sucedía hacía un rato con los recuerdos. Acababa de pasar de un tiempo a otro, pero seguía viéndolo todo movido.

Y es que la realidad se difuminaba. La realidad y mis pensamientos, que eran lo mismo, para mí al menos, desde hacía horas. Poco a poco, al igual que en mi memoria, la realidad se difuminaba y el tiempo se deshacía, lo mismo que mis recuerdos. Sólo que éstos aparecían todos teñidos de rosa y la realidad del Limbo, aunque desenfocada también como aquéllos, era gris como la noche. Gris y negra como el cielo (el del bar y el de Madrid), a pesar de la canción que César tocaba ahora.

Quizá era la misma canción de siempre. Quizá desde hacía ya días (o meses, incluso años) César tocaba la misma canción de siempre, del mismo modo en que El Limbo era el mismo bar de siempre y sólo cambiábamos los clientes. Y ni siquiera. Fuera del de la coleta (un tipo extraño, seguramente extranjero, que llevaba varias horas sin moverse de la esquina de la barra), los demás éramos los mismos de cada noche, sobre todo de aquellas últimas. Pero al maestro eso no le importaba. Como tampoco nos importaba a nosotros lo que él pudiera tocar, con tal de seguir oyéndolo. Como en el cine, su música no era más que la banda sonora que acompaña a la película y que, de tanto sonar una y otra vez, uno termina por no escucharla.

Pero aquella película se acababa. Aquella vieja película que yo reconstruía mentalmente mientras, sentado en El Limbo, contemplaba desolado el final de aquella noche y el de una época de mi vida era un disco ya rayado que se repetía una y otra vez hasta terminar borrándose. Sólo la música del piano seguía sonando a mi espalda, sumergiéndome en un tiempo sin final en el que se confundían, como ahora mismo, el pasado y el presente.

¿Y el futuro? ¿Dónde estaría el futuro? ¿Existía el futuro de verdad? ¿Existía o era tan sólo otro sueño como el que había vivido hasta entonces? ¿Existía o simplemente era un cuadro sin pintar que habría de pintar a ciegas, como todos los que había pintado hasta aquella noche?...

X

—Me voy.

Lo dije ya levantándome. Lo dije ya levantándome, después de coger mis cosas (el paquete de tabaco y el mechero), decidido a irme de allí.

Rico me miró en silencio. Como ya esperaba mi marcha, ni siquiera hizo un gesto de sorpresa.

—Hasta la vuelta —me despedí.

—Adiós —me respondió él.

Los demás ni siquiera se dieron cuenta de que me iba. Estaban tan abstraídos, tan aplastados por el calor, que ni siquiera se enteraron de que me iba o, si llegaron a hacerlo, lo disimularon. Al fin y al cabo, qué les importaba a ellos que me fuera o que me quedara si lo único que ellos querían era seguir sentados en sus sitios. Solamente, al pasar junto a la barra, Julito y Pepe me despidieron.

—Pásalo bien —me dijeron.

Les contesté con un gesto. Lo hice sin detenerme, como si no quisiera despedirme. Siempre me molestaron las despedidas y aquélla era una de las más difíciles. Por vacía, sobre todo.

Ya en la puerta, sin embargo, me volví a contemplar el bar. Desde las escaleras que subían hacia aquélla y que le daban otra perspectiva distinta a la del interior, El Limbo parecía un espejismo más que una imagen real. Difuminado por el calor y por el humo de los cigarros, el local en el que yo había pasado tantas noches, tantas horas y emociones desde hacía ya diez años, me parecía ahora mucho más grande y, en cierto modo, desconocido. Quizá era efecto de las cervezas. Fuese por lo que fuese, su soledad me hizo sentirme más solo cuando atravesé la puerta y eché a andar calle abajo dejando atrás aquel barco que se hundía poco a poco en el silencio de la noche, como el Titanic en las heladas aguas del océano Atlántico.

Como el Titanic también, vi Madrid en torno a mí. Amenazada por la tormenta que se cernía sobre sus edificios, iluminada por los relámpagos que atravesaban continuamente el cielo de parte a parte, la ciudad parecía otro espejismo y otro barco a la deriva, como El Limbo. Tambaleándome, sintiendo bajo mis pies el movimiento de su zozobra y en la cara el olor ácido y espeso de la tormenta, bajé la calle de Campoamor, salí a la de Fernando VI y, sin cruzarme apenas con nadie (todos los bares de la zona estaban semivacíos), llegué a la plaza de las Salesas decidido a irme a dormir lo mismo que cada noche, pese a que aquélla no fuera para mí una noche más. Pero, en el último instante, cambié de idea. Cuando ya estaba resignado a cerrar la noche sin mayor gloria, convencido de que nada podía depararme ya, vi a lo lejos, en un banco, al vagabundo que lo ocupaba en solitario desde hacía meses. Estaba solo, como dormido, como un náufrago en la noche de Madrid.

Llevaba meses viéndolo en el mismo sitio. Desde el balcón de mi habitación, mientras pintaba o escuchaba música o contemplaba el paso del tiempo a la espera de una idea o algún amigo que había quedado en venir, lo veía pasear día y noche por la plaza, ajeno a los transeúntes y a los demás vagabundos que vivían también en ella. Había por lo menos cuatro o cinco, aunque él era el más antiguo. Y el que, por otra parte, también, más llamaba mi atención por su aspecto elegante a pesar de todo y por su indiferencia casi absoluta hacia lo que le rodeaba. Aunque educado y hasta gentil, se mostraba ajeno al mundo, hasta el punto de que ni siquiera pedía limosna, como los otros, sino que era la gente la que se acercaba a dársela.

Dudé si hacer yo lo mismo. Aunque me conocería sin duda, como yo a él (no en vano debía de verme entrar y salir de casa varias veces cada día), temí que lo sorprendiera, incluso que lo asustara, a la vista de su soledad ahora.

Pero no lo necesité. Ni siquiera tuve que aproximarme. Fue él el que me llamó, mientras me decidía a hacerlo, pidiéndome un cigarrillo.

—Negro —me aclaró desde su banco.

—Rubio —le dije yo desde lejos.

Se encogió de hombros, como diciendo: «¡Qué se le va a hacer!», pero no lo dijo. En vez de ello, cogió el cigarro mientras me analizaba sin disimulo.

—Tendrás fuego, por lo menos.

—Por supuesto —le dije yo, sorprendido. Parecía que el favor me lo hacía él, en lugar de lo contrario.

—Esto es tabaco de putas —exclamó, soltando el humo.

—Muchas gracias —le dije yo, divertido.

Realmente era divertido. Estaba allí, en aquel banco, sin más compañía que el cielo y sin otras pertenencias que las que le cabían en una bolsa que utilizaba a la vez de almohada, pero parecía feliz. Más contento por lo menos que los que había dejado en El Limbo.

—No te ofendas, es verdad —me aclaró, por el cigarrillo.

Encendí otro para mí y me quedé de pie frente a él. Fumaba con gran fruición, sin importarle mucho que fuera tabaco rubio.

Parecía estar borracho. Quizá lo estuviera siempre y solamente cambiaba el nivel de su ebriedad en función de la hora del día y de si había dormido o no. En cualquier caso, era muy difícil determinar cuál era aquél en ese momento, puesto que permanecía sentado.

Y lo mismo pasaba con su edad. Era difícil de calcular, puesto que su aspecto era el de un hombre ya viejo, mientras que sus gestos eran los de un hombre joven. Un joven, eso sí, muy desgastado por el alcohol y la mala vida y por las inclemencias del clima de Madrid. Aunque, por lo que parecía, a él no le preocupaban mucho.

—Va a llover —me dijo, mirando al cielo, que apenas si se veía, de tan oscuro, sobre los árboles.

—Ya está lloviendo —le corregí, sintiendo ya las primeras gotas.

Pero él no debió de oírme:

—Un día llueve, otro hace sol... Así es la vida —filosofó.

—Sí, señor —le dije yo.

—Así es esta puta vida —siguió él, sin escucharme—. Por eso es tan delicada.

Me sorprendió el adjetivo. Me sorprendió el adjetivo, máxime teniendo en cuenta de boca de quién venía: un hombre al que, en apariencia, todo hacía pensar que la vida le habría tratado de muchas formas, menos con delicadeza.

—Estarás de acuerdo conmigo —afirmó, sin mirarme apenas.

—Por supuesto —me apresuré a decirle yo.

Las gotas comenzaban a caer ya con más fuerza. Golpeaban la tierra seca y la hierba, produciendo un ruido sordo cada vez más inequívoco y constante. Pero él no lo escuchaba o no le daba importancia alguna.

—Por eso —prosiguió con su discurso—, lo mejor es vivir en la penumbra. Una botella de vino (y, si es de coñac, mejor), una tertulia de amigos, una sardina con sal, un tomate si lo hay, una lumbre en el invierno y un sombrero de paja en el verano y a vivir, que son dos días...

Esta vez, no lo apoyé. Esta vez, no lo apoyé (al revés, guardé silencio), aunque tampoco a él pareció importarle mucho.

—Mira, no sé quién eres —siguió con su perorata—, pero me da lo mismo; yo hablo con todo el mundo. Yo hablo con toda la gente y a todos les digo lo que pienso. Y, si les gusta, bien y, si no, también.

—Claro, claro —aprobé yo su argumento.

—¿Y sabes por qué lo hago? Porque la gente está equivocada. La gente cree que todo lo que vemos es verdad, y no es verdad.

—¿Usted cree?

—¿Tú no? —me dijo él, sin mirarme—. Mira, chaval, hazme caso: todo es una mentira. Madrid, el mundo, esta plaza... Todo es una mentira. Lo único que es verdad es el cielo y nadie se para a mirarlo.

—¿El cielo? —pregunté yo, sorprendido.

—¡El cielo, el cielo! —dijo, mirando hacia él—. El cielo es la única verdad que hay en el mundo, aunque la mayoría de las personas se mueran sin enterarse.

Llovía ya abiertamente. Mientras contemplaba el cielo, que estaba hinchado como un tambor, sentí la lluvia en mi rostro, tibia, pero refrescante. Parecía como si el cielo le diera la razón de esa forma al vagabundo.

—Ya está lloviendo —le dije, por si él no se daba cuenta.

—¿Lo ves? —me respondió él, satisfecho—. ¿Lo ves como era verdad? —y continuó sentado, fumando, inmóvil bajo la lluvia.

Después de tanto esperarla, yo también la agradecía, pero, en apenas unos segundos, comencé a sentirme incómodo. Aquellas primeras gotas que levantaban nubes de polvo al rebotar contra el suelo o contra los cipreses y la hierba de los parterres se convirtieron en una tromba. Llovía con tanta fuerza que ya ni siquiera oía lo que el hombre me decía ahora.

—¡Me voy! —le grité, corriendo.

Pero él no me respondió. O, si lo hizo, no llegué a oírlo. Mientras corría hacia mi portal, que estaba apenas a unos cincuenta metros, supuse que vendría detrás de mí, aunque lo haría más lentamente. Al fin y al cabo, aparte de ser mayor, debía de estar borracho. Pero, cuando me volví a mirar, protegido ya por la marquesina cuyo rótulo anunciaba la tienda de comestibles que hubo en el bajo en alguna época (MANTEQUERÍAS BARTOLOMÉ. ESTABLOS PROPIOS EN GALAPAGAR Y EN MIRAFLORES DE LA SIERRA), descubrí con estupor que continuaba en el banco.

Pensé en llamarlo, pero me arrepentí en seguida. ¿Quién era yo para impedirle que hiciera lo que quisiera? Al fin y al cabo, ¿no era lo que había hecho siempre? ¿No era lo que yo quería para mí y para todas las personas?

Secándome con las manos (tenía el pelo empapado), subí andando los tres pisos (el ascensor, como siempre, se había estropeado hacía ya días) y entré en casa procurando no hacer ruido. Eran las tres de la madrugada.

Eva dormía profundamente, pero Suso no estaba en casa. En la penumbra de las habitaciones, sólo se oía la respiración de aquélla y el salón estaba vacío. Sin necesidad de encender la luz, lo atravesé y me asomé al balcón. La lluvia arreciaba fuera y se estrellaba contra la barandilla provocando al hacerlo un ruido sordo; un ruido que se multiplicó por cien en cuanto abrí las contraventanas. De repente, un gran fragor se introdujo en el salón y, con él, el olor de la ciudad. Que apenas si se veía tras los cipreses de las Salesas, de tanto como llovía en aquel momento. Solamente los árboles más próximos, iluminados por las farolas, brillaban bajo la lluvia con un verde tan intenso que parecían de cera o plástico y, tras ellos, en su banco, la sombra del vagabundo, que seguía igual a como yo acababa de dejarlo.

Estaba inmóvil, como una estatua. Ni siquiera se había cubierto con algún plástico o con un cartón, como los demás. Como si le diera lo mismo todo, seguía en el banco, sentado, mientras la lluvia seguía cayendo cada vez con más violencia sobre la ciudad vacía. Una ciudad que se deshacía y se rompía en miles de hojas, como el cuadro que acababa de romper yo aquella tarde. ¿O era éste el que seguía deshaciéndose?

—¿Ya estás aquí? —me dijo Eva, al sentirme.

—Sí —le mentí, abrazándola.

Segundo círculo

EL INFIERNO

«Así fue como descendí del primer círculo al segundo, que contiene menos espacio, pero mucho más dolor.»

DANTE ALIGHIERI
La Divina Comedia, Canto V

I

La abandoné a los tres años. En el 88, después de cinco o seis juntos. Fue un error más en mi trayectoria.

En realidad, toda mi vida amorosa, no sólo la de aquel tiempo, es una suma de errores, un rosario de equivocaciones que componen en conjunto el cuadro de un gran fracaso. Pero, en aquellos años, los que siguieron a mi separación de Julia y, sobre todo, a la posterior de Eva (que provoqué, como aquélla, después de pensarlo mucho), la lista de mis equivocaciones fue tan absurda como interminable. Con la misma rapidez con la que me enamoraba se enfriaba mi pasión en cuanto vislumbraba el más mínimo destello de rutina o de cansancio por mi parte.

Tal vez es que no me enamoraba realmente. Aunque creía que sí (si no en todos, sí en muchos de los casos), tal vez es que no me enamoraba realmente, sino que sustituía una pasión por otra. Así las mantenía siempre frescas, como el que cambia las flores de un florero antes de que se pudran o marchiten. Pero, a veces, como en el caso de Eva, o en el de Julia años antes, el tiempo transcurrido ya era tanto que las flores, aun podridas, habían enraizado en mí provocándome un intenso dolor al arrancarlas.

Es lo que tiene dejar que el tiempo pase. Es lo que tiene dejar que el tiempo pase y te acostumbre a un lenguaje y a unos hábitos de vida que no son seguramente ni mejores ni peores que los otros, pero que se convierten en parte de tu naturaleza, aunque sea solamente a nivel superficial. Porque la piel también duele cuando se arranca. La piel también tiene raíces que, aunque invisibles, se hunden en lo más hondo de nuestra naturaleza, de la misma manera en que lo hacen, en la de la memoria, los sonidos y olores y sabores del pasado. Por eso viven durante años y por eso también, de tarde en tarde, afloran a la superficie cuando uno generalmente menos lo espera.

Es lo que me ocurre ahora, al recordar de nuevo aquel tiempo que sucedió en mi vida al del *limbo*, como lo bauticé en aquella postal (trivial, turística, tópica, salvo por el motivo de la fotografía: una carretera helada, en un paisaje desierto, con un letrero que dice: FIN DE LA TIERRA CULTIVABLE) que les mandé a mis amigos desde Laponia, donde concluyó aquel viaje que tan determinante sería para mí.

Y es que, a partir de aquel viaje, ya nada volvió a ser igual. Por extraño que parezca (al fin y al cabo, aquel viaje cumplió todas mis expectativas), marcó un antes y un después en mi relación con Eva, no tanto por causa de ella, que quizá nunca llegó a saber que así fue, sino por mi propia causa. Sin saber por qué realmente (y mucho menos sin saber cómo explicarlo), comencé a sentir que me iba, como la barca que arrastra la corriente de la orilla a pesar de ella.

A pesar mío y sin que Eva tuviera culpa alguna ni intuyera o supiera nada aún, durante aquel viaje a Suecia, comencé a sentir, en efecto, que algo me alejaba de ella, aunque no sabía ponerle nombre. No era apatía, ni desamor, ni cansancio. Era algo más profundo y corrosivo, quizá por lo desconocido.

Nunca antes había tenido esa sensación. Era como si de repente la atracción que sentía por Eva (no sólo física, sino en todos los sentidos) se hubiese desvanecido sin que hubiese un motivo concreto para ello. Porque no sentía, ya digo, ni desamor ni cansancio. Era algo más profundo y corrosivo, algo que no podía identificar porque nunca lo había sentido antes.

Para saberlo, intenté pintarlo. A la vuelta de aquel viaje, de nuevo ya en España, intenté pintar aquel sentimiento mientras el otoño se adueñaba poco a poco de Madrid. Era el primer otoño que Eva y yo vivíamos solos. Como imaginaba ya, a la vuelta del verano, Suso recogió sus cosas y se fue a vivir a otro sitio, dejándonos solos en aquel piso en el que habíamos llegado a vivir hasta seis personas. Así que ahora Eva y yo teníamos toda la casa para nosotros. Yo me instalé en el salón, que daba hacia la plaza, y comencé a pintar día y noche, mientras Eva hacía lo propio con las habitaciones, pese a que la mayoría estaban ya vacías. Se la veía feliz por poder vivir al fin como ella quería: como una pareja auténtica y no como una pareja dentro de un grupo mayor.

A mí, en cambio, aquello me inquietaba. Aunque, por una parte, estaba también feliz, aunque solamente fuera por poder pintar por fin sin que nadie me interrumpiera o distrajera continuamente, por otra me daba miedo, por cuanto para mí aquel cambio era una experiencia nueva. Pese a que la mayor parte de mi vida había vivido en pareja, nunca lo había hecho a solas y me daba miedo empezar a hacerlo.

Miedo, ésa era la palabra. Miedo a la felicidad era lo que yo sentía. ¿O no era miedo, mezclado con curiosidad, la sensación que me producían, durante aquel viaje a Suecia, los solitarios paisajes que Eva y yo atravesábamos por desiertas carreteras transitadas solamente por camiones cargados de madera, entre infinitos bosques de abetos y verdes pinos? ¿No era miedo mezclado con felicidad la sensación de fugacidad que me producía aquel verano del norte que tanto me recordaba, por su pureza, a los de mi infancia?

Miedo, ésa era la palabra. Pero ¿cómo pintar el miedo? ¿Cómo pintar esa sensación que siempre identificamos con la tragedia o con el dolor, pero que, en mi caso, entonces, nacía justamente de todo lo contrario?

Imposible conseguirlo. Lo intenté de muchas maneras, desde cambiar los colores a los motivos pictóricos (que pasaron desde los paisajes suecos hasta el lugar en el que pintaba ahora); no conseguí trasmitir la sensación que tenía desde hacía tiempo y que, en lugar de desaparecer, como suponía, con el regreso a Madrid, se había enquistado en mi corazón. Aquella sensación contradictoria de felicidad y miedo que la nueva vida que acababa de empezar me producía.

Porque había empezado una nueva vida. Sin pretenderlo, sin desearlo, sin darme cuenta siquiera prácticamente hasta aquel momento, había empezado una vida diferente a la que había llevado hasta entonces. Durante años, yo había vivido en el limbo, en el paraíso de la juventud, y ahora, de pronto, me veía inmerso en un mundo nuevo en el que todo era muy distinto. Al contrario que en el limbo, donde nada era real, en la nueva vida que comenzaba todo lo era, al menos visto desde mi perspectiva.

Por eso no podía pintar lo que sentía en aquellos días. Ni pintarlo, ni nombrarlo, ni imaginar las formas y los colores que a partir de aquel momento mi pintura iba a tener. Porque mi pintura iba a cambiar, como yo. En realidad, llevaba ya cambiando mucho tiempo, concretamente desde que empezaron a aparecérseme aquellas extrañas hojas, mezcla de brotes y de semillas, que acompañaban a mis dibujos o los borraban completamente. Porque a veces los borraban u ocultaban por completo. Como si quisieran hacerlos desaparecer, los borraban u ocultaban por completo, pasando ellas a ocupar todo el protagonismo del cuadro, como cuando en el otoño un remolino de viento arranca las de los árboles y levanta al mismo tiempo las del suelo, cubriendo todo el paisaje. Pero el otoño que aquellas hojas representaban no era el otoño real. No era el otoño que yo veía por la ventana cuando me asomaba para mirar el paso del tiempo o la caída de la luz o de la lluvia sobre las cúpulas de las Salesas. Era un otoño irreal y, por lo tanto, más duradero, pese a la inofensiva apariencia de aquellas hojas que parecían de un jardín virgen o de un bosque abandonado por sus dueños.

El bosque era el de mi infancia y el jardín el de mi juventud. Así al menos lo traduje en aquel tiempo, con ocasión de alguna entrevista o a raíz de otra exposición. Pero ni mucho menos pensaba lo que había dicho. Lo dije por decir algo, como he dicho casi todo a lo largo de mi vida, sobre todo en relación con mi pintura. Al revés que otros pintores, que saben *contar* su obra, yo jamás he sabido explicarla con palabras. Por eso, recurro siempre a los escritores (a Suso y Mario, al principio, pero también a otros, después de ellos) para que cuenten por mí lo que yo no sé contar y digan de mi pintura lo que yo no sé decir. Aunque muy pocas veces coincide lo que ellos dicen y escriben con lo que yo he querido contar realmente o con lo que de verdad sentía y siento al pintar un cuadro.

Por eso, aquel otoño, no podía comprender lo que sentía. Y mucho menos podía contárselo a nadie. Aparte de que ¿a quién podía contarle nada? Si, desde hacía ya varios meses, me había quedado prácticamente sin confidentes, alejado como estaba de los que lo habían sido durante años, desde la marcha de Suso mi orfandad intelectual se agudizó, lo que hizo que me encerrara más en mí mismo. ¿Dónde quedaban ya aquellas noches en las que durante horas y horas discutíamos y hablábamos buscando en los demás respuestas a nuestras dudas?

Había llegado el momento de buscarlas cada uno por su lado. Y cada uno lo hacía a su modo, bien como Mario, buscando el éxito comercial, bien como Suso, intentando postergar siempre el momento de enfrentarse a la escritura y a la vida. En mi caso, yo me sentía a mitad de camino de ambos. Por una parte, es verdad, necesitaba también el éxito (entre otras muchas razones, porque vivía materialmente de mi pintura), pero, por otra, me sentía cerca de Suso en su desprecio al mundo del arte y de la literatura. Seguía pensando que éstos eran algo solitario y personal y me producía rechazo todo lo que les rodeaba.

Eva, entre tanto, permanecía al margen de todo aquello. Ella estaba por encima —o por debajo— de mis preocupaciones, ya que lo único que le interesaba era su felicidad. Felicidad que supeditaba a su relación conmigo (al fin y al cabo, yo era lo único que la retenía en España) y que debía de considerar fuera de todo peligro, sobre todo ahora en que por fin vivíamos los dos solos. Porque lo que Eva quería desde un principio era vivir como ahora vivíamos. Lo que Eva deseaba y ya había conseguido en cierto modo era vivir como una pareja, que era justo lo que a mí más me aterraba. Aunque ya había cumplido los treinta años, yo me sentía a años luz del hombre que Eva buscaba en mí.

Pero tampoco quería perderla. Seguía enamorado de ella y no quería perderla, cosa que intuía ya terminaría ocurriendo en cuanto transcurriera el tiempo sin que cambiara nuestra relación. Así que no sabía qué actitud tomar con ella. Si me distanciaba un poco, Eva lo iba a notar en seguida y si seguía como hasta entonces, aparentando que era feliz con aquella vida, con toda lógica ella pensaría que lo era de verdad y que incluso alimentaba los mismos sueños que ella de cara a nuestro futuro. El problema era, además, que no había un término medio. Y que, aunque lo hubiese habido, no habría podido permanecer en él mucho tiempo, calculando cada día la distancia conveniente para que nuestra relación no fuera ni hacia atrás ni hacia delante. Cuando uno ya ha pasado de los treinta y vive con la mujer que ha elegido, tiene que comprometerse o arriesgarse a perderla para siempre.

Por eso perdí yo a Eva. Por no querer comprenderlo. Por no querer aceptar que a veces los intereses y los deseos de las personas van en dirección opuesta. Y no basta con quererse, en esos casos. No es suficiente con apelar a ese sentimiento que un día te unió de repente y que continúa vivo en las dos personas, si una de ellas desea para sí lo contrario exactamente que la otra. A la larga, cuando eso ocurre, lo normal es que la relación se acabe.

La nuestra se acabó a los tres años. En el 88, a la vuelta de un verano que Eva pasó en Estocolmo y yo en Gijón, como de costumbre. Aunque el final se veía venir desde mucho antes. Al menos yo lo veía venir desde que Eva empezó a cambiar y a mostrarse más seria y fría de lo normal. Le molestaba mi resistencia a cambiar de vida, pese a que, a decir verdad, yo había cambiado bastante. Ya no pasaba todas las noches de bar en bar, por ejemplo, ni las mañanas durmiendo. Y pintaba y trabajaba más que nunca. Pero Eva me pedía un compromiso mayor con ella. No un compromiso formal, que eso le importaba poco (al fin y al cabo, venía de una cultura muy diferente), sino un cambio de vida de verdad.

El problema era que yo no quería cambiar de vida. Yo quería seguir así, viviendo como siempre había vivido, a caballo entre la bohemia y la marginalidad. Era la forma de vida que me gustaba. Y la única que me parecía acorde a mi trabajo de pintor. Pero Eva pensaba justamente lo contrario. Eva pensaba, al revés, que todo tiene su tiempo y que el de la bohemia ya había pasado para mí, pese a que yo me empeñara en prolongarlo, como Suso. Pero el caso de Suso, decía, era diferente.

Suso vivía solo y yo vivía con ella y ella aspiraba a vivir como todo el mundo. Como todo el mundo, decía, a partir de cierta edad.

—Ya. Pero es que yo no quiero vivir como todo el mundo —le dije una de esas veces, cuando sacó por enésima vez la conversación.

—Pues yo sí —me contestó, con amargura.

Fue la última ocasión que hablamos de ello. Y la primera que me confesó, mirándome a los ojos para ver mi reacción, que deseaba tener un hijo. ¡Un hijo, cuando yo todavía seguía sintiéndome y viviendo como tal!

Fue el comienzo del fin de nuestra historia, el detonante de su descomposición. Poco a poco, a medida que los días y los meses transcurrían, Eva empezó a volverse más seria, más lacónica y opaca, lo que provocaba en mí una mayor opresión de la que ya sentía desde hacía tiempo. Me hacía sentir culpable de algo de lo que yo no lo era, pues, si bien ella tenía derecho a cambiar de vida, yo también lo tenía a no quererlo. Lo cual, lejos de acercarme a ella, nos distanciaba cada vez más. Y, así, poco a poco, nos fuimos alejando uno del otro hasta el punto de que en los últimos tiempos ya ni siquiera hacíamos el amor.

Por eso, cuando al regreso de aquel verano, le dije que me marchaba, no le cogió de sorpresa. Se echó a llorar, como suponía, pero no se sorprendió. Sin duda, ya lo esperaba. Al fin y al cabo, cuando alguien dice que se va es que ya se ha ido y lo único que hace es expresarlo con palabras.

—No. Me voy yo —me dijo Eva, ofendida, con la mirada más triste y bella que he visto nunca.

II

No volví a verla jamás. Ni a saber de ella, más que al principio, cuando todavía conservaba su teléfono en Suecia.

Pero me costó olvidarla. Como me pasó con Julia, me costó mucho olvidarla y todavía no lo he logrado del todo, pese a que yo fui el culpable de nuestra separación. Lo cual prueba que no siempre el que abandona sufre menos que el que ha sido abandonado.

Mi separación de Eva coincidió, además, en el tiempo con otro golpe en mi vida: el descubrimiento de la enfermedad que se cobraría la de mi padre. Un acontecimiento que me marcó también muy profundamente, pese a que mi relación con él no era precisamente muy buena.

Fue un proceso rapidísimo. Desde que le detectaron la enfermedad (un cáncer en el estómago), apenas duró seis meses, de los cuales la mitad los pasó en el hospital. Se murió al final del invierno, un día de lluvia, muy asturiano, y lo enterramos en Gijón, de cara al mar, aunque seguramente él hubiera preferido que lo hubiéramos hecho en su pueblo, en Zamora, de donde había salido muy joven y en el que ya no tenía familia, pero del que nos hablaba continuamente.

Yo regresé a Madrid confundido. Al día siguiente del entierro, cogí el tren de medianoche y regresé a Madrid sin llorar, pero con la sensación de que me había hecho mayor de repente. Hasta entonces, es verdad, había vivido mucho, había vivido más de lo que me correspondía posiblemente por mi edad, comparado sobre todo con mis amigos de Gijón y Oviedo, pero precisamente por eso nunca me sentí mayor hasta el día del entierro de mi padre. De repente, la muerte de éste me situaba en mi verdadera edad y me hacía tomar conciencia de mi auténtica situación en la vida: tenía treinta y tres años (treinta y cuatro ya muy pronto), me había quedado solo tras la separación de Eva, y mi familia, que era mi única referencia, desperdigados ya los amigos o alejados de mí desde hacía tiempo, comenzaba también a desintegrarse. Todo esto pensaba yo aquella noche en el tren que me traía de Gijón mientras por la ventanilla veía pasar las luces de los pueblos que quedaban sumergidos en la noche o las de las estaciones de las ciudades en las que se detenía muy brevemente.

Los meses que la siguieron pasaron mucho más rápido. Llegaba la primavera y Madrid se despertaba del largo sueño del invierno, aunque yo todavía seguía sumido en él. Era como si me resistiera a incorporarme a mi nueva vida, como si me costara mucho vivir de nuevo después de todo lo sucedido. Pero tenía que hacerlo. Tenía que volver a hacerlo, no sólo porque eso era lo lógico (e inevitable, diría mi padre), sino por necesidad. A raíz de mi separación de Eva, volvía a tener, como siempre, problemas para vivir.

Pensé en cambiarme de casa, a otra más económica, pero me gustaba aquélla. Me gustaban sus habitaciones, de techos altos, decimonónicos, y especialmente su luz. Aquella luz explosiva que filtraban los balcones y las ventanas del viejo patio y que se colaba a través de ellos hasta el fondo del pasillo y la cocina. Sobre todo en primavera, la luz era tan perfecta que parecía recién creada. En el verano, en cambio, era demasiado fuerte. Pero, como yo me iba de Madrid, tampoco me molestaba mucho. Al contrario, me gustaba imaginarla hurgando entre las persianas como si fuera un ladrón nocturno, intentando averiguar lo que había dentro.

Otra posibilidad era compartir los gastos. Pero la deseché en seguida, consciente de que la época de los pisos compartidos ya había pasado para mí. Ya no me veía yo compartiendo con otra gente la casa y mucho menos mi vida. Aparte de que ¿con quién podría compartirla ya? ¿Con Suso, al que apenas si veía más que de ciento en viento en El Limbo? ¿Con Mario, del que me separaba ahora, además de los años de distanciamiento, su fulgurante éxito literario?

No, definitivamente ya no tenía con quien compartir la casa. Ni la casa ni mi vida, que se extendía ante mí de pronto como si fuera una gran pregunta. Durante muchos años, mi vida había sido un lienzo que yo pintaba a mi gusto, inventando los colores y las formas para ello, pero ahora ese gran lienzo, en lugar de invitarme a hacerlo, me llenaba de inquietud. ¿De verdad quería seguir pintando mi propia vida? ¿Realmente deseaba inventar nuevos colores y motivos, que es en lo que consiste el arte?

Durante bastante tiempo, seguí pintando por inercia. Seguí pintando y viviendo, aunque nada me entusiasmaba realmente. Al contrario, cada vez me aburrían más tanto la vida como mi obra, que repetía continuamente.

Pero, para mi sorpresa, ésta cada vez se vendía mejor. Cuanto menos me gustaba, cuanto más me molestaba la reiteración de temas y de colores que dominaba mi obra desde hacía tiempo, más éxito tenía ésta y no sólo entre mis conocidos, aquellos clientes del Limbo y de mi círculo más cercano, de los que siempre podía pensar que me compraban obra por compromiso (por amistad o por ayudarme), sino entre los de la galería, cuyos dueños cada vez estaban más satisfechos y más amables conmigo.

Eran dos seres ambiguos. Fundamentalmente él, cuyo interés por el arte le había venido por ella y se limitaba exclusivamente al rendimiento económico de la galería. Ella aún era peor. Bajo su aire de intelectual, que cultivaba con gran tesón, se escondía una mujer tan vulgar como la mayoría de sus clientes. Casi todos eran de la misma clase: empresarios y profesionales que, bien porque les sobraba el dinero o bien porque en aquel momento la pintura estaba de moda, al margen de que fuera una inversión como decían, se dejaban engañar por los pintores o, en nombre de éstos, por los galeristas. En el mío, por ejemplo, los dueños de La Mandrágora vendieron cuadros que yo nunca habría vendido, entre otras muchas razones porque no me gustaban sus compradores.

Pero necesitaba el dinero para poder seguir subsistiendo. Necesitaba vender mi obra para poder seguir repitiéndola, pese a que cada vez me gustaba menos. No es que no me interesara; es que no era en absoluto lo que yo quería pintar. Me sentía ya muy lejos de aquellas extrañas hojas y de aquellas perspectivas que se perdían detrás de ellas, como mis sueños de la juventud.

Ahora ya no tenía sueños; tenía ambiciones, que es diferente. Los sueños se me habían roto o los había ido perdiendo por el camino, enredados en las mallas de los amores rotos o abandonados u olvidados en las calles y en los bares de Madrid. Por eso ya no quería pintar lo mismo que antes pintaba. Podía y, de hecho, lo hacía, puesto que vivía de ello, pero no me podía satisfacer hacerlo, independientemente del éxito que mi obra tuviera entre los demás.

Pero a los de la galería todo esto les interesaba poco. A los de la galería lo único que les interesaba era que cada vez vendían mejor mi obra y que incluso habían comenzado a aparecer artículos en la prensa que hablaban con entusiasmo de mi trabajo. ¡Quién se lo iba a decir a ellos, que me habían aceptado entre los suyos, no porque les interesara ni les gustara lo que yo hacía, que ni siquiera entendían, ni lo intentaban (en realidad, les daba lo mismo todo), sino porque Paco Arias, que estaba también con ellos cuando yo les llevé mis primeras cosas recién llegado a Madrid, me había recomendado!

Ahora estaban encantados con mi éxito. Habían pasado de despreciarme (al fin y al cabo, debían de pensar quizá, ellos eran los famosos y yo un pobre provinciano al que bastante favor hacían con darle un dinero al mes para que pudiera seguir pintando) a tratarme con consideración. Después de aquellos artículos y de alguna entrevista en los periódicos, mi obra empezó a venderse y ellos querían aprovechar el momento. Máxime teniendo en cuenta que les debía mucho dinero, puesto que el que me daban cada mes desde hacía años lo era en concepto de adelanto sobre las futuras ventas de mis cuadros. Ventas de las que deducían otro cuarenta por ciento en concepto de gastos de representación.

Así que no era extraño que estuvieran encantados con mi inesperado éxito. Sobre todo tras los últimos fracasos de sus pintores más cotizados, que, al parecer, vendían menos que antes. Eran dos, principalmente: Pepe Rubio, un valenciano arrogante y egocéntrico hasta extremos increíbles, y Alvarado, un andaluz cuyo único interés, aparte de sus modelos y de sus extravagancias (solía vestir de mujer), consistía en que pintaba los cuadros con anilinas. Pero eran los dos pintores más importantes de la galería. Y ello no sólo porque vendían, o habían vendido en un tiempo, sino por su personalidad. Una personalidad que Corine, la dueña de la galería, ponderaba todo el rato, pese a que a Álvaro, su marido, que era muy tradicional, le disgustara profundamente en el fondo.

La mía le disgustaba, pero por todo lo contrario. Continuamente me decía, sobre todo al principio de estar con ellos, que debería cambiar de imagen. La imagen, me decía Álvaro, es importantísima y más para los artistas. Le faltaba decirme que le parecía un pobre, que era sin duda lo que pensaba. Lo que yo pensaba de él obviamente lo callaba. Mi radicalidad extrema no había llegado aún al punto de faltarle al respeto a la persona que me permitía vivir desde hacía ya tiempo.

Últimamente, no obstante, tanto él como su mujer me empezaban a tratar de otra manera. Sin dejar de mirarme por encima, que eso era inevitable (lo llevaban seguramente en la sangre), me empezaban a tratar con más respeto, respeto que iba en aumento a medida que aumentaban las ventas de mis cuadros y su cotización. Aunque yo continuaba sin ver un duro de aquéllas. Aunque vendía cada vez más, o al menos eso decían, yo seguía sin ver un duro de aquéllas y tardaría todavía en verlo, puesto que, según sus cuentas, les debía aún mucho dinero. El que me habían adelantado desde que firmé con ellos, sin vender prácticamente una obra mía en ese tiempo.

Yo aceptaba, resignado, sus excusas. Aceptaba porque, en parte, sabía que tenían razón y, en parte, esperaba que la deuda se saldase ya muy pronto. Pero, entre tanto, tenía que subsistir. Y tenía que hacerlo con el dinero que ellos seguían dándome cada mes (y que ya no me alcanzaba para pagar la renta del piso, que se había duplicado en los últimos tres años) y con los cuadros y los dibujos que vendía por mi cuenta, procurando, eso sí, que no lo supieran. Porque tenían la exclusividad de toda mi obra y, de haber llegado a saberlo, me lo habrían echado en cara.

Aunque a mí me importaba poco. Yo tenía que vivir y con el dinero que ellos me daban apenas podía ya hacerlo, y menos ahora, que vivía solo en el piso. Por eso vendía dibujos y algunos cuadros pequeños, principalmente a la gente que me compraba obra desde hacía años.

El problema era ése, precisamente: que, para poder vender por mi cuenta, tenía que pintar más. Y eso, en aquel momento, me producía un gran malestar. Hacía tiempo que pintaba prácticamente la misma obra y eso me producía un gran malestar, no tanto porque pintara contra mi gusto, que nunca llegué a ese extremo, como porque me parecía una falsificación. Me veía a mí mismo como un copista, más que como un creador. Y, aunque los resultados fueran muy dignos, incluso tuvieran éxito entre los críticos, y no digamos entre los compradores, no dejaban de parecerme una traición a mí mismo, que era el único al que no podía engañar. Porque podía engañar a los críticos, podía engañar a los compradores, podía incluso engañar a mis amigos (los antiguos y los nuevos), pero no engañarme a mí. Y yo sabía que aquellos cuadros que vendía incluso antes de pintarlos muchas veces eran copia de otros anteriores, si no en sentido literal, sí en el sentido más estilístico.

Pero no tenía otro remedio que continuar pintándolos; al menos, durante algunos meses. Los que necesitaba para asentarme en mi nueva vida, la que había comenzado tras mi separación de Eva. Porque podía tener éxito y triunfar como pintor, podía aparecer en los periódicos, como, de hecho, había aparecido ya, como uno de los pintores con más futuro de mi generación, podía vender todo lo que hiciera, incluso lo que no hiciera, con tal de llevar mi firma, y al mismo tiempo tener problemas para llegar a final de mes. Que era lo que me ocurría desde que me separé de Eva y regresé de nuevo a mi antigua vida, aquella que había dejado por ella.

III

Intenté recuperarla nuevamente. Mientras olvidaba a Eva, intenté recuperar aquella vida que había dejado por ella y que tanto añoraba desde hacía ya algún tiempo. Porque la creía aún viva. La creía todavía perfectamente recuperable, puesto que muchos de mis amigos seguían viviendo como yo entonces.

Pero pronto me di cuenta de que aquel sueño era irrealizable. Más que irrealizable, absurdo. Porque podía recuperar aquella forma de vida, podía recuperar antiguos bares y amigos, podía recobrar incluso viejas amantes y conocidas, pero no el tiempo, que estaba muerto. Como los sueños cuando despiertas, el tiempo se había evaporado y confundido con la realidad presente, que, aunque parecida a aquélla, era muy diferente en el fondo. Ni yo era el mismo de aquella época, ni mis amigos seguían siendo los que eran, ni Madrid era ya tampoco la misma ciudad de entonces. Como nosotros, había cambiado profundamente, empujada por el ritmo de su modernización. Una modernización de la que presumía mucho la gente, pero que yo no alcanzaba a ver del todo. No es que no alcanzara a verla, es que no la creía tal. Es cierto que la ciudad había cambiado de aspecto, que ya no era aquel pueblón vetusto y destartalado que yo conocí al llegar, pero tampoco había cambiado tanto; me refiero a su sustancia. Es lo que decía el letrero que el dueño de un bar del barrio había puesto bajo un cartel de Madrid: VISTA (PARCIAL) DE MI PUEBLO, y lo que pensaba Suso, al que volvía a frecuentar de nuevo, igual que a Mario y a algunos más, después de un tiempo muy distanciados. Esta ciudad, decía Suso, cada vez es más provinciana.

Pero allí seguíamos todos, como abejas zumbando en torno a ella, sin importarnos mucho su evolución. Porque eran tiempos de grandes cambios. Lo decían los políticos y se veía en el día a día. Aunque para nosotros el cambio grande ya había ocurrido. Había ocurrido hacía años, cuando dejamos atrás el limbo y las pasiones de la juventud para adentrarnos en la madurez. Aunque algunos, como Suso, se negaban a aceptarlo. No porque no lo supiera, sino porque se resistía a creer que el tiempo fuera tan devastador.

Pero lo era, vaya que si lo era. No había más que mirarle a él para darse cuenta de que los años habían dejado su huella; más que en su físico, en su carácter. Como nos pasaba a todos, la vida se lo había ido cambiando, aunque él no quisiera verlo. Y lo mismo cabía decir de Mario y de los demás amigos y conocidos de los viejos tiempos, la mayoría de los cuales habían desaparecido tragados por la ciudad o por el destino o se habían integrado en el sistema, cansados de combatirlo. Los había, incluso, como Mateo, que se dedicaban a la política. En cualquier caso, ninguno era ya el que era, como tampoco lo era ya Madrid.

Así que era imposible recuperar la vida de años atrás. Ni aquella vida, ni aquellos años, ni siquiera los lugares y los bares de aquel tiempo. Porque, entre los que ya no estaban, como La Aurora, que había cerrado sus puertas, o como la bodega de Argensola, ahora un restaurante, y los que habían cambiado de ambiente, ninguno era ya el que era. Sólo El Limbo y el pub de Santa Bárbara mantenían todavía el espíritu de entonces, aunque cada vez más fosilizado. Aparte de que la gente los había ido abandonando, los que les seguían fieles se habían hecho mayores y ya no eran sino sombras patéticas de sí mismos.

La vida, en aquel momento, discurría por otros sitios. Por otros bares, como el Chicote, que volvía a cobrar vida después de años languideciente, o por los nuevos locales que florecían como geráneos por la ciudad. En ellos y en los cafés de toda la vida, como el Gijón, o como el Lion d'Or, donde Suso tenía ahora su tertulia vespertina, había que buscar la vida y a la gente que la protagonizaba. Que era distinta de la de aquellos tiempos o había cambiado sustancialmente.

Y es que los años habían pasado para todos. Para mí, que había vivido al margen de todo aquello durante años, y para los que, como Suso y Mario, cada uno desde su perspectiva, habían seguido en primera línea la evolución de Madrid en ese tiempo. Que era mayor de lo que yo creía. Mayor en su dimensión y mayor en su profundidad. Sobre todo, en el mundo en que yo vivía, o en el que volvía a vivir después de un tiempo alejado de él.

La principal diferencia era generacional. La gente que en los setenta y hasta mediados de los ochenta protagonizaba la vida y las noches madrileñas y españolas veía ya languidecer su estrella, eclipsada por otra mucho más joven que pedía su lugar y su espacio en este mundo. Era la gente de mi generación. Gente en torno a los treinta y cinco años que empezaban a afirmarse como artistas o escritores y que reclamaban ya la atención de los periódicos y de las galerías. Entre ellos, como es lógico, había de todo, como sucede en todas las épocas y como seguirá ocurriendo, pero, en lo fundamental, había un espíritu de rechazo hacia todo lo anterior y ya caduco. O que creían caduco por ya visto y superado.

Aunque, como siempre, escéptico, y más ahora, después de todo lo ya vivido, yo compartía aquella misma actitud. Desde mi individualidad extrema, que seguía conservando y alentando pese a todo, yo compartía aquella misma actitud, pero no porque lo anterior me pareciera ya superado, sino, al contrario, porque siempre me lo había parecido. Me refiero al arte de los setenta, contaminado por su circunstancia histórica, pero también a los movimientos que en los primeros años ochenta habían pasado por vanguardistas y que para mí no eran más que divertimentos protagonizados por unos cuantos niños rebeldes de papá. Y es que, al final, se trataba de eso: de jugar a ser artistas más que de serlo con todas las consecuencias.

Por eso, en aquellos años, yo viví mi vida al margen. Tanto cuando estaba solo como, antes, cuando vivía con otra gente, yo viví mi vida al margen, procurando no participar apenas, salvo como espectador, de aquéllos, ni dejar que me influyeran todos aquellos pintores que entonces acaparaban la cultura y la vida madrileñas y del país. Y es que la mayoría de ellos, tanto los ya consagrados como los que pretendían sucederlos, me parecían, salvo excepciones, personas sin interés, cuando no directamente despreciables. Por eso, digo, yo seguí pintando al margen, sin importarme lo que estuviera de moda en cada momento y tomando como ejemplos, como siempre, a los realmente importantes; esto es: los expresionistas, los vanguardistas del fin de siglo, los de entreguerras, Picasso... Principalmente Picasso. Ellos eran mis maestros y mis auténticas referencias, ante los que palidecían, cuando no se volvían patéticos, los pintores que por entonces pasaban en España por geniales. Y que se creían genios ellos mismos, como era el caso de Pepe Rubio.

Así que, cuando, a final de la década de los ochenta, el panorama artístico y literario empezó a cambiar en España, yo comprendí que había llegado mi momento. Tanto por experiencia como por edad, me creía ya maduro como hombre y como artista, lo que corroboraba además el éxito que comenzaba a tener en ciertos ambientes. No muy grandes, es verdad, pero sí bastante influyentes.

Me refiero sobre todo a ciertos ámbitos periodísticos. El de *El País*, por ejemplo, el principal periódico nacional, que desde su aparición marcaba la moda y las pautas a seguir en la vida y la cultura del país y que, afortunadamente, comenzaba ya a dejar atrás las veleidades posmodernistas que había tenido durante un tiempo (y que no eran más que el reflejo del complejo de inferioridad que tenían todos respecto a Europa) y a apostar por el verdadero arte; es decir, por el que se estaba gestando aquí. Como siempre, había de todo: realismo, surrealismo, abstracto... El nivel era irregular, pero había cuando menos, en la mayoría de los artistas, una intención de autenticidad; justo todo lo contrario de lo que había ocurrido hasta aquel momento. Por eso, tal vez, conectó rápidamente con un público cansado de mimetismos y de imposturas y, por eso, en seguida mucha gente volvió sus ojos hacia nosotros, los jóvenes que empezábamos a abrirnos paso en aquel momento. Fue entonces cuando la prensa, siempre detrás de la realidad, pero queriendo mediatizarla, se lanzó a apadrinar a algunos de esos artistas, entre los que me encontraba yo. Lo que cambiaría de golpe toda mi vida, hasta entonces tan anónima y tranquila.

Todo empezó con un reportaje que publicó *El País* por aquellos tiempos. «La nueva pintura española» se titulaba, y hablaba de seis pintores. Uno de ellos era yo. Su repercusión fue tan increíble que, en apenas unos meses, pasé de ser un desconocido a que me persiguieran el resto de los periódicos. Y, también, al mismo tiempo, a percibir cómo éstos intentaban convertirme en un personaje más de la actualidad.

Al principio, aturdido por todo aquello, tardé en asumir mi éxito, incluso en entenderlo y aceptarlo como tal. Creía que se trataba de esa especie de espejismo que se produce generalmente cuando uno cambia de vida y que te lleva a verte como una persona nueva. Porque yo seguía siendo el de siempre. Seguía siendo aquel chico que había llegado a Madrid con el deseo de ser pintor y, sobre todo, de ser feliz en la vida. De momento, había conseguido en parte ambas cosas, aun a pesar de todos los contratiempos, pero nunca me había planteado el éxito como objetivo. Para mí, éste era secundario, algo extraño y gratuito cuyos secretos no comprendía y que, por tanto, sólo me interesaba si me ayudaba a vivir mejor.

Pero para los demás era muy distinto. Para los de la galería, para los periodistas, para mis propios amigos y conocidos (con la excepción, claro está, de Suso), el éxito era lo sustancial, incluso más que la propia vida. Para la mayoría de las personas, el éxito determinaba ésta y, por lo tanto, había que tratar de alcanzarlo a toda costa. Por eso no entendían mis recelos hacia él, que consideraban falsos y artificiales, pero que, aparte de ser sinceros, para mí estaban justificados. Porque lo que yo quería era seguir viviendo como hasta entonces. Lo que yo quería entonces era seguir viviendo y pintando y sospechaba que todo aquello me podía apartar de esa intención. Cosa en la que tenía razón, como, por lo demás, los hechos se encargarían pronto de demostrarme.

Porque una cosa era lo que yo quería y otra lo que el destino me tenía reservado y preparado hacía ya tiempo. Una cosa eran mis sueños y otra lo que la gente estaba dispuesta a darme. Y es que, mientras yo trataba de que los cambios que en torno a mí se producían no me afectaran más de la cuenta, mientras trataba de recobrar a los amigos de años atrás, a pesar de su dispersión, mientras intentaba, en fin, solucionar mis problemas económicos sin que ello supusiera grandes cambios en mi vida ni en mi obra, notaba que todo aquello me empujaba en una dirección cuya trascendencia última yo mismo no alcanzaba todavía a comprender. Intuía, sí, que el éxito podía trastocar todos mis deseos, que podía convertirme en una persona distinta de la que era hasta aquel momento, pero ignoraba hasta qué punto iba a trastocar mi vida. Como ignoraba también de qué modo iba a influir en mi percepción y en mi relación con la realidad.

Todo ocurrió poco a poco, como suceden siempre esos procesos. Sin apenas darme cuenta, sin percibirlo casi al principio, pasé del anonimato al relativo conocimiento que mi creciente éxito me otorgaba. Al principio, más modesto y, después ya, fulgurante, a raíz de la exposición que presenté en el 91 en Arco, la feria de arte internacional más importante del año, más urgido por la presión de la galería que por mi convicción de hacerla. Aunque ya había comenzado una nueva etapa pictórica que me alejaba definitivamente de la anterior, todavía no estaba seguro de que lo que estaba haciendo era lo que quería hacer de verdad. Pero a aquéllos, como es obvio, todo esto les interesaba poco. Aunque fingían que sí y me escuchaban con atención cada vez que les contaba mis muchas dudas sobre mi obra, en realidad lo hacían para tranquilizarme, no fuera a ser que empezara a revisar aquélla de nuevo, como ya había hecho otras ocasiones. Mi nombre aparecía cada día en los periódicos, mis cuadros se vendían cada vez mejor y más caros y de lo que se trataba ahora era de aprovechar el momento organizando una exposición que definitivamente me instalara en el centro de la pintura contemporánea. Como repetía Corine, la dueña de la galería, saboreando ya el éxito por anticipado, teníamos el cielo al alcance de la mano.

Yo no lo veía tan claro, pero me dejé llevar. En parte porque pensaba que lo que estaba pintando entonces era algo realmente interesante y diferente y en parte por acabar con aquella deuda que mantenía con la galería y que no acababa de saldar nunca. Una buena exposición, para la que tenía ya obra suficiente, al margen de la que hiciera a partir de entonces y hasta febrero, que era cuando se inauguraba la feria, podía acabar con aquel problema, aparte de servirme a mí de test para ver cómo reaccionaban los críticos ante aquélla.

Había cambiado sustancialmente. Había dejado atrás aquellos colores fríos, los azules y los verdes sobre todo, y los paisajes llenos de hojas que tanto me obsesionaron durante un tiempo y volvía a recuperar los colores cálidos que utilizaba cuando era joven; aunque también usaba los negros y la escala de los grises que conducen desde ellos hasta el blanco. Los motivos, mayoritariamente, eran naturalezas muertas, paisajes inamovibles de raíz minimalista o de inspiración doméstica, entre los que primaban los frutos (las granadas y las bayas, sobre todo; ignoro por qué razón) y los objetos que tenía cerca o me ayudaban en mi trabajo diario como pintor: los pinceles, los óleos, los caballetes, las paletas usadas o a medio usar...

El cambio fue muy notable. Tanto como para que Corine, que se había separado ya de Álvaro y llevaba ahora la galería en solitario, me lo hiciera notar con extrañeza, quizá alarmada por la posibilidad de que aquél interrumpiera mi carrera hacia la gloria, y como para que mis conocidos, aquellos que seguían mi trabajo desde antiguo, como Suso, hubieran de revisar todas sus previsiones, que sin duda pasaban por una evolución más pausada y progresiva de mi estilo. Pero en mi vida habían sucedido muchas cosas en aquel último tiempo; demasiados acontecimientos, y no todos positivos, que me habían hecho cambiar más que los diez años anteriores. El desamor, las rupturas, la pérdida de mi padre, mi repentino éxito como artista, todo aquello había influido en mí más de lo que yo creía. Y eso se reflejaba en mi obra, más segura y decidida, pero también mucho más escéptica. Lo cual no fue inconveniente para que fuera recibida por la crítica como una gran novedad, como un giro decisivo en mi carrera que me iba a llevar muy lejos.

¿Adónde? Eso era lo que yo pensaba mientras a mi alrededor la gente me felicitaba por los elogios que me llegaban de todas partes y por el éxito que, según todos, había logrado en Arco.

IV

Lo comencé a descubrir muy pronto: aquella misma Semana Santa y en el verano, cuando regresé a Gijón, y, antes de eso, en el día a día de mi vida y mis paseos por las calles y los bares de Madrid.

Ya no podía hacer lo que yo quería; o al menos no como antes. Continuamente asediado, no por la gente normal, que ni siquiera sabía quién era, para mi suerte (mi fama no alcanzaba todavía más que a un público concreto, como es lógico), sino por los periodistas y los aficionados a la pintura, comencé a percibir que éstos me veían de manera diferente a como me veía yo todavía. Yo me seguía viendo como el de siempre (salvo en mi economía, que había mejorado un poco), pero ellos me veían como a una persona nueva, no sé si diferente, pero sí más interesante. Lo cual provocaba en mí una sensación extraña, mezcla de halago y de desazón. Más de ésta que de halago normalmente, pese a lo que desde fuera pudiera parecer.

Mi desazón venía, en primer lugar, de mi desconcierto. Por mucho que me dijeran, por más que me insistieran en que por fin había triunfado como pintor, no sólo ya en España, sino incluso fuera de ella (al parecer, a raíz de Arco, se habían empezado a interesar también por mi obra coleccionistas de arte y galeristas del extranjero), yo me seguía viendo como el que era, una persona llena de dudas, sobre todo en lo que afectaba a mi principal pasión. Porque para mí pintar seguía siendo sobre todo una pasión.

Y como tal seguía tomándola. No como una profesión, como la tomaban otros y como pretendían algunos que hiciera yo también, sino como una afición que me permitía vivir, pero que en modo alguno podía ser una profesión. Como me dijo Suso una vez hablando de la literatura, ésta era una actividad en la que había que dominar todas las herramientas del oficio, pero sin olvidar nunca que no lo era. Lo cual servía también para la pintura, cuyas herramientas son, además, más físicas.

Pero para la gente todo eso eran palabras. Cuando hablo de la gente, me refiero a esas personas que pululan día y noche en torno a las galerías (periodistas, galeristas, coleccionistas de cuadros o de dinero) y que no conocen de la pintura más que su aspecto menos real, interesados sólo en el económico o en su proyección social. A éstas, como a algunos de mis amigos de los viejos tiempos, que ahora me criticaban por haberme convertido, según ellos, en famoso (cuando en realidad lo que les pasaba era que me envidiaban precisamente por eso), lo que les interesaba de mí era la popularidad, cuando a mí ésta me seguía dando miedo. Máxime cuando observaba que su influencia en mi vida comenzaba a provocar ya algunos daños.

Lo comencé a notar entre mis amigos. Entre los de Madrid, con algunos de los cuales había vuelto a encontrarme después de un tiempo alejado de ellos, pero de los que me separaba aún precisamente ese tiempo, pero también entre los de Gijón. Que pensaba que recibirían de otra manera los cambios que se estaban produciendo en mi vida últimamente. Cuando yo volvía a Gijón, lo hacía precisamente huyendo de todo aquello y buscando reencontrarme con mi verdadera vida.

Pero algunos reaccionaron de manera muy extraña. Eduardo, por ejemplo, se empezó a apartar de mí, no sé si desconcertado o acomplejado por mi repentina fama (¡pobre Eduardo, siempre encerrado en Gijón, siempre sin salir de allí!), mientras que otros, como Marino, o como algunos que no eran ni habían sido tan amigos hasta entonces, se me hicieron de repente inseparables. Sólo Ginés, mi compañero y amigo del Instituto, y, por supuesto, Amieva siguieron manteniendo la misma relación que manteníamos desde que nos conocimos, aquél en la adolescencia y éste ya en la Universidad.

Fue peor la gente menos cercana; quiero decir: esa gente con la que te une cierta relación, pero que no llega a ser de amistad. Sobre todo aquella que compartía mi mismo oficio o que lo compaginaba con otra profesión. Porque en Asturias pocos pintores podían vivir entonces de la pintura. La mayoría de ellos, por el contrario, compaginaban su afición con un trabajo, bien en algún colegio, bien por su cuenta, dando clases de dibujo o de pintura. A la mayoría de ellos mi éxito madrileño (que achacaban a la suerte, cuando no a otras circunstancias más extrañas) les provocó una reacción adversa inversamente proporcional a su conocimiento de mi persona y de mi verdadera vida. Cuanto menos sabían de mí más críticos eran conmigo y menos compasivos y flexibles se mostraban.

En Madrid me ocurrió lo mismo, pero aquí las cosas eran diferentes. Para empezar, la ciudad es infinitamente más grande, lo que me permitía elegir y evitar aquellos sitios donde sabía que no iba a ser muy bien recibido (o, al revés, donde sabía que iba a ser asediado sin remedio por algunos), y, en segundo lugar, había mucha más gente, y mucho más importante, a la que envidiar que yo. A mí, en Madrid, eso sólo me ocurría en los lugares que había frecuentado siempre y a los que seguía acudiendo, a pesar de todo, como hasta entonces.

Los que peor reaccionaron fueron mis propios amigos: me refiero, por supuesto, a algunos de ellos. Me acusaban, entre otras muchas cosas, de haber hecho un pacto con el diablo.

—¿Tú crees? —le dije una vez a Cuesta, que insistía en que debía escapar de todo aquello, si quería salvar mi alma de artista. Como de costumbre, Cuesta era el más intransigente, no con él mismo, por supuesto (acabaría escribiendo best-sellers), sino con los demás.

—Por supuesto —dijo Cuesta, mirándome con desprecio, como si yo tuviera la culpa de que las cosas no le fueran bien—. En la vida hay que saber decir que no.

—¿Tú lo has dicho alguna vez? —le pregunté yo, ofendido.

—Por supuesto —dijo él.

La acusación de Cuesta, no obstante, no era algo original o personal. Como él, hubo muchos por entonces que, en lugar de alegrarse de mi fortuna, se molestaron por ella hasta el punto de volverme la espalda algunas veces. Lo cual, aparte de sorprenderme (yo pensaba que, al revés, ocurría lo contrario en esos casos), me fue llenando de dudas y haciéndome más retraído. Algo que siempre había sido, pero que se me acentuaba ahora, a la vista de las circunstancias.

Pero, paralelamente, comencé a conocer a más gente. Gente nueva que vivía al margen de todo aquello o que, habiendo pasado ya por lo mismo, se reía de mí cuando me preocupaba por ello. Eso es envidia, me decían, quitándole una importancia que para mí seguía teniendo.

Entre los que conocí por aquella época, uno de ellos, por ejemplo, fue Marcelo. El chileno, que vivía cerca de mí (en la calle de Augusto Figueroa) pero al que conocía sólo de verlo en alguna fiesta, comenzó a frecuentar mi casa y, como él, otros pintores y artistas, la mayoría ya muy famosos. Pero no todos de fiar, como tendría que ir descubriendo.

Y es que, en la marabunta que se formó en torno a mí por aquellos tiempos (y que no ha cesado del todo, a pesar de mi distanciamiento), había mezclada gente cuya única intención era parasitar mi popularidad. Que seguía en aumento para mi asombro y para contrariedad de mis conocidos, que cada vez tenían más problemas para poder estar a solas conmigo. Suso me lo dijo un día:

—Mira, Carlos, o te paras o a mí me llamas cuando te canses.

En realidad, ya estaba cansado. Apenas comenzado todo aquello, apenas iniciado el torbellino en que se convirtió mi vida a partir de entonces, ya me sentía cansado, aunque tardaría aún bastante en darme cuenta de que era así. Lo que experimentaba entonces creía que era el temor que, a la vez, me producía todo aquello, dada mi inseguridad. Porque yo seguía siendo el de siempre, aquel chico de Gijón, hijo de un estibador del puerto y de un ama de casa casi analfabeta, al que la vida y las circunstancias le habían llevado, primero, a la pintura y a la bohemia y, ahora, al éxito en aquélla, pese a que nunca lo había buscado de propósito. Por eso sentía temor, no porque no me atrajera en el fondo, y por eso lo veía con cierto distanciamiento, pese a que cada vez me era más difícil mantenerme lejos de él.

Porque una cosa era lo que yo quería y otra lo que los demás querían. Una cosa era lo que yo pensaba y otra lo que los demás pensaban. Y entre uno y otros estaban la pintura y su comercio, y el periodismo, y el poder, y hasta la necesidad de amor, o de sexo, de la gente. Y en medio de todo eso estaba yo, recién llegado de mi pobreza y procedente de un mundo ya perdido que algunos, en El Limbo, se empeñaban, pese a todo, en prolongar.

—¿Cómo lo ves? —me dijo Rico una noche, una de aquellas noches perdidas del final de los ochenta que ya anunciaban lo que se nos avecinaba. Fundamentalmente a él, que ya había dejado atrás los cuarenta.

—No lo sé —le dije yo, sonriendo, sin saber qué responderle.

—No te preocupes —me dijo, al cabo de un rato—. Nada de lo que suceda tendrá realmente importancia.

V

Lo recordé años más tarde, cuando lo que se nos avecinaba ya se había cumplido por completo. El Limbo ya no existía (cerró en el 91) y de Rico no sabía más que se había retirado. Alcoholizado y quizá arruinado del todo, había pasado, al parecer, de no aparecer por casa a no salir nunca de ella.

Recordé eso y lo que pasó después: el aceleramiento del torbellino, la disgregación de mi anterior vida, el comienzo del proceso que me llevaría, por una parte, a mi mejor momento como pintor y, por otra, al peor en lo vital. Algo que no es difícil de entender, visto ahora, desde la lejanía.

El aceleramiento del torbellino, que ya no cesaría en mucho tiempo (y que no lo haría del todo hasta que abandoné Madrid), me empujó, en efecto, en la dirección en la que yo sospechaba que iba a acabar empujándome. Me refiero a ese mundo fugaz y evanescente, pero atractivo y brillante al mismo tiempo, que vive al margen del otro, el que habita el común de los mortales. Ese que algunos llaman de la cultura, pero que de cultivado tiene sólo las apariencias, por lo menos en lo poco que yo llegué a conocerlo.

Y es que en seguida entendí que aquella vida no era la que yo quería. En seguida me di cuenta (quizá porque ya lo sospechaba y lo temía) de que el mundo en que ahora vivía era un mundo artificial e intrascendente, una sucesión de círculos comunicados entre ellos, pero aislados de la vida de la gente en general, en los que, como en la descripción de Dante, se dividen el limbo y el infierno. La comparación la hizo Suso, cómo no, algunos años más tarde, a propósito de la noticia que publicaban todos los periódicos sobre la decisión de la Iglesia de suprimir el infierno de su doctrina, después de siglos de usarlo como amenaza. Al Papa lo que le pasa, dijo Suso, tras leerla, es que no conoce la vida literaria madrileña.

Como de costumbre, a Suso no le faltaba razón en eso. Como tampoco le faltaba, por supuesto, esa dosis de ironía imprescindible para sobrevivir dentro de aquel mundo, aunque fuera, como él, como espectador. Justo todo lo contrario de lo que le sucedía a Mario, que se tomaba completamente en serio aquel mundo, quizá llevado por su ambición o por su concepción casi religiosa de la literatura.

A mí me pasaba igual, pero por causas muy diferentes. Por carácter, sobre todo, pero también por ese temor que me acompaña desde pequeño a defraudar a la gente que, por la razón que sea, se te acerca, a ti o a tu obra, aparentemente con admiración. Aunque eso no es siempre así. Hay veces en que, al contrario, su aparente admiración esconde otras intenciones, no siempre reconocibles o confesables en alta voz. Cosa que me desconcierta mucho y que me llena de desazón cuando ocurre, pero que me descorazonaba aún más cuando comencé a moverme por aquel mundo que Cuesta y Suso consideraban, cada uno por razones diferentes, el infierno, pero que para mí tenía aún todo el atractivo de los lugares desconocidos y de los mundos cerrados que no están al alcance de cualquiera. Si bien que mediatizado por el temor que, al mismo tiempo, me producía.

El atractivo se desvaneció muy pronto. Tan pronto como lo conocí por dentro y confirmé todas mis sospechas; unas sospechas alimentadas a lo largo de muchos años de imaginarlo y de criticarlo y que contrastaba ahora con la realidad. Y eso que, desde el primer momento, parecía que todos se habían confabulado para hacerme sentir uno más en él.

Pero en ningún momento pudieron conseguirlo. Por más que lo intentaron unos y otros, desde la propia Corine, que ahora me trataba como antaño a Pepe Rubio y a Alvarado y me invitaba a todas sus fiestas, incluso a las más privadas, al último de los críticos, yo nunca me sentí bien entre ellos ni partícipe de aquel mundo del que, en teoría al menos, había entrado ya a formar parte. Al contrario, cuanto más lo conocía, más fuera de él me sentía, pese a que, por educación o miedo, disimulara mis sentimientos.

Pero éstos eran los que eran. E iban acentuándose a medida que conocía aquel mundo y, sobre todo, a algunas personas, pintores principalmente, que para mí habían sido modelos a seguir en algún tiempo y que descubría eran tan vulgares y tan mediocres como la mayoría. Y lo mismo podía decir de los galeristas, y de los críticos, y de los coleccionistas. Todos unidos y confundidos por una espesa madeja cuyo hilo conductor era el poder y que se creían por ello los elegidos por una sociedad que los admiraba.

Y, en cierto modo, tenían razón al creerlo. Tenían razón en pensar así y en hacerlo a despecho de la gente, a la que la mayoría ignoraban, cuando no despreciaba directamente. Ellos se sabían al margen, admirados e intocables en su mundo y, al mismo tiempo, envidiados por los que, como ellos en alguna época, aspiraban a estar entre los elegidos. Por eso no entendían ni podían entender que hubiera gente, como yo, que, pudiendo ser uno más de ellos, renunciara a esa posibilidad.

En cualquier caso, yo tardé tiempo en hacerlo. Por educación o por cobardía (o por simple confusión: al fin y al cabo, al principio, todo aquello era nuevo para mí), durante bastante tiempo oculté lo que pensaba de aquella gente que de pronto me adulaba y rodeaba o, al contrario, me veía como un competidor. Porque yo no estaba allí para competir con nadie. Yo era mi único competidor y por eso no entendía la rivalidad que existía entre unas personas a las que presuntamente les movía el amor al arte y a la belleza. Entendía, sí, que la pudiera haber entre mis amigos, aquellos que pretendían estar en mi puesto ahora y que me criticaban precisamente por eso, pero no entre unos artistas cuyo prestigio profesional desbordaba muchas veces las fronteras españolas. En cualquier caso, yo no iba a competir con ellos, por lo que no entendía tampoco que me miraran con desconfianza.

Además, estaban sus admiradores. Que eran todavía peores, por lo menos en muchos de los casos. Galeristas, agentes, coleccionistas, gentes de todas las clases que pululaban en torno a ellos y que se daban tanta importancia, a veces, como ellos mismos. La mayoría atacados por el esnobismo, que es la enfermedad del arte. Y que se permitían aconsejarnos a los más jóvenes, como si tuvieran alguna autoridad.

Acostumbrado ya a su presencia (desde que llegué a Madrid, conocí a mucha gente así), trataba de evitarlos, como siempre, pero ahora lo tenía más difícil. Mi popularidad creciente, unida a mi timidez, hizo que me rodearan como un enjambre de abejas atraídas por el brillo de mi éxito. De dónde y cómo salían no sabría decirlo ahora. Sólo sé que de repente me empecé a ver rodeado de personas que se decían amigas mías y que, no contentas con eso, pretendían decirme lo que tenía que hacer, y a qué sitios debía ir y a cuáles no, y hasta cómo tenía que pintar. Y eso que yo a nadie le había pedido consejo. Al contrario, lo único que yo pedía era que me dejaran vivir y pintar en paz.

Pero les daba lo mismo todo. Con una disculpa u otra, se presentaban en mi casa a cualquier hora o me llamaban continuamente proponiéndome los más diversos asuntos y las ideas más insospechadas. Ideas que, por supuesto, yo debía aceptar sin discutir o, como mucho, hacerlo, pero participando en ellas. Cosa que hacía algunas veces, más que nada por quitarme de encima a sus mentores, pero que sólo me servía para que éstos se creyeran con mayor autoridad para involucrarme en su siguiente idea o negocio.

Pero no todo era negativo en aquel mundo de cartónpiedra. Tenía también sus compensaciones, sobre todo en los terrenos económico y sentimental. En el económico, porque la fama aporta siempre dinero (aunque no el mismo en todos los supuestos y los casos) y, en el sentimental, porque el éxito atrae a muchas mujeres, como el oro a los aventureros. Yo, de hecho, aunque ya lo imaginaba y lo sabía, lo viví en propia piel en aquella época, que fue la más intensa y agitada de mi vida en ese aspecto.

En los cuatro o cinco años que aguanté, por mi cama pasaron, en efecto, docenas de mujeres, la mayoría de ellas por una sola noche. Era como si de pronto hubiesen descubierto en mí un atractivo que hasta entonces no tenía o había tenido oculto. Incluso, alguna de aquéllas, que, como la mujer de Ernesto, el dueño de la galería Milán, me conocía desde hacía años, me encontraba de repente irresistiblemente atractivo, pese a que hasta aquel momento ni siquiera se había fijado en mí. El caso es que, coincidiendo con mi éxito como pintor, comencé también a tenerlo en el terreno amoroso o, al menos, en el sexual.

Porque, a decir verdad, pocas de aquellas relaciones fueron realmente amorosas. La mayoría de ellas fueron tan sólo sexuales, por lo menos por lo que a mí respecta. Cansado de las vividas, especialmente de la última, que me había dejado agotado, lo que yo menos quería era repetir errores. Lo que yo buscaba entonces era la simple aventura y para ella tenía en aquel momento cientos de oportunidades.

Aun así, volví a enamorarme a veces. Dos o tres, que ahora recuerde, aunque por muy poco tiempo. Yo mismo ponía tierra por medio en cuanto me daba cuenta. Ya he dicho que no quería repetir viejos errores y menos en aquel tiempo en el que el mundo se me ponía a los pies. Y, con él, todos sus placeres y toda su capacidad de envenenamiento.

Porque era un mundo que te envenenaba. Como una droga muy suave, te envenenaba poco a poco, sin que tú te dieras cuenta. Las oportunidades que te brindaba, el éxito, los halagos, todo te iba haciendo mella hasta que te adormecía. Incluso en mi propio caso, en que estaba prevenido contra ello. Ni que decir tiene en el de Mario, que buscaba todo eso desde que llegó a Madrid.

Mario lo tenía muy claro. Al contrario que el resto de nosotros, él siempre tuvo muy claro que quería triunfar como escritor y a ese objetivo se dedicó desde que llegó a Madrid, cosa que hizo a la par que yo, cuando empezó a estudiar periodismo. Porque la intención de Mario era compaginar el periodismo con la literatura. A despecho de lo que dijo algún famoso escritor que consideraba a aquél el principal enemigo de ésta, Mario pensaba compaginarlos, puesto que eran sus dos mayores pasiones. Y lo hizo, en efecto, en algún tiempo, hasta que la literatura se le impuso en exclusiva tras el éxito que alcanzó con su primera novela.

Yo lo viví desde fuera. Fue en la época en que ambos andábamos distanciados, él dedicado ya al periodismo y yo alejado de mis amigos. De él incluso hacía ya años. Concretamente desde que, tras varios de vivir juntos, se fue a vivir con María, a la que conoció en El Junco una noche y que lo apartó de todos nosotros (¿o fue él el que decidió apartarse?). El caso es que cuando, al fin, publicó su primera novela (gracias al premio que ganó con ella), el éxito que aquélla obtuvo, y, con ella, el propio Mario, lo acabó separando aún más, como a mí me sucedió en menor medida cuando me pasó lo mismo, y eso que para entonces ya había roto con María y había vuelto a frecuentar a los amigos de los viejos tiempos.

Pero entonces era yo el que no los frecuentaba. O el que los frecuentaba poco. Así que el éxito de su novela, que nos cogió a todos por sorpresa, yo lo viví desde lejos, casi como si fuera un suceso que poco o nada tenía que ver conmigo.

Pero ahora nuestros pasos se volvían a juntar. Como si fuera el destino el que lo decidía así, nuestros pasos se volvían a juntar, aunque ahora en condiciones muy diferentes a las de antaño: él convertido ya en un escritor famoso y yo en un pintor de éxito. El caso es que uno y otro habíamos triunfado en nuestras respectivas profesiones o pasiones y eso nos volvía a juntar como cuando la juventud lo hizo, hacía ya muchos años, en aquellos pisos comunitarios y en aquellos bares de los setenta que no cerraban hasta el amanecer. El problema era que ahora ni él ni yo éramos ya aquellos jóvenes. Y que, entre tanto, habían pasado muchas cosas, unas mejores que otras, pero que habían dejado su huella. Sobre todo, aquella larga separación que él había mantenido de manera voluntaria con el resto de los amigos.

Pero a Mario todo aquello parecía no importarle lo más mínimo. Como si todo fuera normal, como si el largo tiempo de ausencia que había quedado detrás no tuviera que ser justificado por ninguno, Mario comenzó a buscarme y a tratarme nuevamente como si nada hubiese ocurrido; como si todo aquel tiempo que habíamos estado sin vernos se borrase de repente por el simple hecho de que ambos habíamos triunfado en nuestras respectivas actividades. Nuestros caminos son paralelos, me dijo un día en el bar del Círculo, en el que se reunía ahora con algunos amigos escritores por las noches.

Lo dijo y lo creía, seguramente, de verdad. Como creía también que el éxito era algo efímero y que, precisamente por eso, teníamos que cuidarlo; lo cual era comprensible en él, teniendo en cuenta su biografía. Durante toda su vida, lo había buscado con gran tesón, durante años y años se había entregado en cuerpo y alma a su consecución y, ahora que lo había alcanzado, era lógico que quisiera conservarlo. Por eso estaba acabando un libro de cuentos, a la vez que pergeñaba la que sería su segunda novela, y por eso, cuando salía, acudía a los lugares en los que se alimentaban los prestigios y las glorias literarias y artísticas del momento: el Café Hispano, el Cock, el Chicote, el Círculo de Bellas Artes... Aunque, de vez en cuando, también, quizá para no caer en el mismo error que cometió cuando conoció a María, volvía por los locales en que sabía que estaríamos los amigos de la juventud.

Porque yo seguía siendo fiel a esos amigos. Aun a pesar de algún desencuentro, como el de Cuesta, y de que las circunstancias habían cambiado mi vida, yo seguía siendo fiel a esos amigos, incluso en contra de mis intereses. Quizá porque ya intuía que eran mi único anclaje a la realidad.

Sobre todo, seguía viendo a Suso. En el Lion d'Or, por las tardes, o en La Vía Láctea, por las noches, Suso seguía, como siempre, renegando de todo y de casi todos, pero se había vuelto mucho más cínico. Ya no aspiraba a cambiar el mundo, como antes, y mucho menos con la literatura. Como les pasaba a Cuesta y a algunos otros de los del viejo Limbo (que ahora vagaban por la ciudad sin encontrar un sitio en que refugiarse), lo que le ocurría a Suso es que le daba lo mismo todo, aunque participara de cuando en cuando en las discusiones que Mario y yo manteníamos cada vez que nos encontrábamos. Y que volvían a ocuparnos noches y noches enteras, como en los tiempos de nuestra juventud.

Aunque ya no se centraban, como entonces, en la literatura y el arte como tales. Al contrario, derivaban casi siempre hacia otros temas, la mayoría de ellos relacionados con la actualidad de aquéllos. Lo cual a Suso le molestaba, porque consideraba que malgastábamos nuestro tiempo. Para Suso, todo lo que no tuviera que ver con la creación en sentido estricto era una pérdida de energías o, peor, una actitud impropia de nuestra inteligencia. Algo que Mario y yo compartíamos, pese a que volviéramos a caer una y otra vez en el mismo error. Y es que ése era ya nuestro verdadero mundo, pese a que nos molestara reconocerlo.

Por eso, y por otras causas, discutíamos cada poco (entre nosotros dos y con Suso), aunque en seguida nos reconciliáramos, y por eso nos fuimos distanciando nuevamente, aunque siguiéramos quedando de tarde en tarde en el Bogotá (a comer bajo aquel cuadro que a los tres nos tenía fascinados desde siempre: el de la vaca y el lago idílico) o en los sofás del Café Gijón, al lado del cerillero y entre los camareros que seguían, como siempre, llevando el café en bandeja a escritores y a pintores muy famosos, la mayoría de los cuales ya eran sombras de su propia decadencia.

VI

—Miradlos: los triunfadores —decía Suso, con su carga de ácido habitual.

Se refería a un grupo concreto, el que se reunía en el velador del fondo y cuya media de edad sobrepasaba ya los setenta años, pero, a través de ellos, a todos los que a esa hora se hallaban en el café. La mayoría eran conocidos o lo habían sido en sus buenos tiempos.

—Eso es el éxito —decía Suso, con ironía, señalando sus caras de aburrimiento.

Mario y yo le escuchábamos sin decir nada. Los dos nos sabíamos señalados tácitamente por sus palabras, pero ni Mario ni yo nos dábamos por aludidos. ¿Qué teníamos que ver nosotros con aquellos dinosaurios que ocupaban las mesas del Gijón a aquella hora?

Pero, en el fondo, nos molestaba la comparación de Suso. A mí, al menos, me dolía, porque sabía que detrás de ella Suso lanzaba mensajes dirigidos a mi persona. De Mario, Suso ya no esperaba gran cosa, pues le consideraba irrecuperable, decía, desde hacía mucho.

Pero de mí seguía esperando, según parece, una reacción. Aunque nunca me lo dijo claramente, de mí esperaba, según parece, una reacción que me llevara a cambiar de rumbo y a volver a ser el de siempre.

Sin embargo, yo no había cambiado tanto. O, por lo menos, yo no era consciente de ello. Al revés, me parecía que el que más había cambiado de todos era justamente Suso, aunque él no se diera cuenta. Suso pensaba, como otros muchos, que, como seguía llevando la misma vida de siempre, seguía siendo el mismo de cuando llegó a Madrid.

Pero nada más lejos de la realidad. Como toda la gente de aquel tiempo, Suso había cambiado mucho, aunque él nunca lo reconocería. Y menos a mí o a Mario. Aunque no nos envidiaba como otros, Suso consideraba que nuestros éxitos, al margen de merecidos o inmerecidos, nos habían cambiado para peor. Por eso nunca podría reconocer que la transformación de la que nos acusaba era mayor en él que en nosotros mismos y eso a pesar de no haber publicado todavía nada. Aún peor: sin haber escrito nada, al menos que se supiera.

No es que lo compare ahora con aquellos personajes que conocí al llegar a Madrid, cuando todavía creía que todo el mundo sabía mucho más que yo de todo. Personajes como Tano, que presumía de ser amigo de todos los escritores famosos de aquella época, pese a que no conocía a ninguno, o como Agustín Jiménez, que dirigía una tertulia de actores en el Gijón sin haber estrenado una sola obra. Suso era un caso aparte. Suso sabía de lo que hablaba, aunque no lo avalara con su trabajo. Ni falta que le hacía, decía él. En eso, Suso se parecía al dueño de Toby, aquel perro de la plaza de la Villa de París que, según me contó el de Sam, que lo había sufrido, no había existido nunca, lo que no le impedía al dueño darles lecciones de perros a los demás, demostrando de ese modo que Madrid estaba llena de farsantes.

Pero, últimamente, Suso se había vuelto más cínico. Aun cuando conservaba el humor de siempre y aquella ironía suya característica, Suso se había vuelto más cínico y, por lo tanto, más corrosivo. Quizá era fruto de la edad. Quizá era el paso del tiempo, que le había ido amargando el carácter, como a tantos. El caso era que, con los años, Suso se había vuelto más cínico y más ácido a la vez.

Con Mario, por ejemplo, era implacable. Quizá, en el fondo, subyacía el hecho de que los dos se dedicaban al mismo oficio, en la teoría al menos, cosa que conmigo no sucedía. Fuese ése o no el motivo, el caso es que Suso y Mario siempre tuvieron una relación difícil. Relación que se complicó tras el éxito de éste, lo que me obligaba a mí a mediar continuamente entre ellos para que nuestra amistad siguiera siendo posible.

Pero nuestra relación ya no era la de antes. Por más que todos quisiéramos, por más que disimuláramos y aparentáramos lo contrario, la vida había dejado sus huellas y eso se manifestaba ahora continuamente y en mil detalles. Era lógico, por otra parte. Cada uno de nosotros había seguido un camino, cada uno tenía ya nuevos amigos y relaciones y cada uno era ya distinto a cuando nos conocimos por los setenta. Así que era imposible tener la misma amistad de entonces. Del mismo modo en el que lo era compartir nuestros deseos e ilusiones, porque éstos eran también distintos. No eran los mismos deseos los de Suso que los míos. Ni los míos eran los mismos, ni mucho menos, que los de Mario. Aunque éste así lo creyera, como me dijo aquel día en el bar del Círculo.

Así que lo único que nos unía a los tres eran ya nuestros recuerdos. Aquella vida en común que llevamos en un tiempo, pero que definitivamente formaba parte ya de nuestra memoria. De hecho, cuando quedábamos, la mayoría del tiempo lo pasábamos recordando anécdotas de entonces, como si fuéramos ya tres viejos hablando de su pasado.

Lo que ocurría era, en realidad, que aquéllas eran ya lo único que nos unía. Por encima de ilusiones y deseos, más allá de nuestras vidas en común, lo único que nos unía eran ya aquellas anécdotas que Mario tanto gustaba de recordar, seguramente para no tener que hablar de otras cosas. Porque hablar de otras cosas suponía enfrentarnos a la realidad. Y la realidad era que los tres ya no teníamos nada en común, salvo los recuerdos. Si acaso algún resquemor y el rescoldo de un cariño que quedaba, a pesar de ello, de los viejos tiempos.

Pero eso no era bastante para justificar nuestra relación ahora. Por más que lo pretendiéramos, por más que los tres quisiéramos creer que era suficiente, aquello no era bastante para justificar nuestra relación ahora. Por eso se fue apagando como si fuera un fuego sin leña y por eso, poco a poco, volvimos a distanciarnos como nos sucedió a mediados de los ochenta, sólo que ahora sabiendo ya que era de forma definitiva.

Yo así, al menos, lo intuí desde el principio. Desde el primer momento entendí que aquel distanciamiento paulatino y progresivo (que se haría más claro en Mario) no iba a ser igual que aquel que, hacia mediados de los ochenta, nos separó por algunos años. Entonces, los tres contábamos con que el tiempo volviera, como hizo, a acercarnos nuevamente. Ahora, en cambio, camino de los cuarenta, los tres sabíamos ya que la vida no tenía vuelta atrás y que los viejos tiempos no volverían, por más que así lo quisiéramos.

Pero a mí aquello me entristecía. Aunque como pintor vivía mi mejor momento (al menos, eso decía la gente), me entristecía advertir que el tiempo lo había minado todo y que ya nadie era el que era. Ni Suso, siempre tan fiel a sí mismo, ni Mario, trastornado por el éxito y la fama, ni yo, que volvía a encontrarme, como cuando me separé de Eva, perdido y solo en mitad del mundo. De ahí (lo comprendo ahora, que no entonces, por más que lo creyera) aquellos frutos maduros y aquellos cuartos vacíos que pintaba en aquella época y que tanto éxito tenían entre los críticos y entre los compradores de arte de la galería.

A ellos les importaba muy poco la razón de aquellos motivos. Ellos lo único que veían era la composición formal de la obra y los colores y los matices de cada una de las pinceladas. Pero les interesaba poco saber el porqué de aquélla o el de la fuerza o la debilidad de éstas, que era lo verdaderamente importante. Porque en aquellos frutos y en sus colores y en cada trazo de los pinceles sobre la tela estaba el alma del pintor que los pintaba para ellos, pero en primer lugar para él mismo.

Por eso, vistos ahora a través del tiempo (en los tres o cuatro cuadros que conservo de aquel tiempo y que tú verás un día), aquellos frutos maduros y aquellos cuartos vacíos se me presentan no como caprichosos, como motivos elegidos al azar en función de quién sabe qué proyectos o qué idea, sino como la traducción pictórica del sentimiento de desconcierto que entonces ya me embargaba. Porque, a medida que mi éxito iba en aumento, a medida que mi fama acentuaba mi cotización, yo me sentía más solo, pese a estar rodeado de personas todo el tiempo.

La razón es que no era la gente que yo quería. La gente que yo quería ya no seguía a mi lado y a la que lo estaba ahora ni siquiera la había elegido yo. Eran amigos de oportunidad. La mayoría pintores o gente del mundo artístico a los que lo único que me unía era el éxito común o la ambición. Pero uno llega a engañarse. Uno llega, en esos casos, a creer que de verdad él ha elegido a esa gente, como ha elegido otras muchas cosas, para no tener que reconocer que le han venido dadas por las circunstancias. Yo, de hecho, me engañé bastante tiempo (pese a que, a decir verdad, siempre intuí que era así) y, durante todo ese tiempo, viví una vida artificial, lejos de la que quería.

Por eso me sentía solo. Por eso y por la nostalgia. Aunque de cara a la gente aparentaba que era feliz, más que nada por no defraudar a aquellos que creían de verdad que sí lo era, comenzando por mi madre y mis hermanos, aborrecía mi nueva vida y a la gente que me rodeaba ahora. La mayoría eran personas sin interés, gente absurda y llena de ambición que no tenía otro objetivo que el de seguir ascendiendo en el escalafón social o —los más conservadores— mantener el ya conseguido.

Era como una carrera en la que todos participaban de buena gana; una especie de carrera en la que lo de menos era la obra de cada uno, puesto que lo sustancial era saber venderla y venderse. Cosa que parece fácil, pero que no lo es, en absoluto, salvo que uno lo haya aprendido desde pequeño, cosa que no era mi caso. A mí nadie me había enseñado a venderme; al contrario, mis padres y mis abuelos me habían educado en la discreción y ésta era una moneda en desuso desde ya hacía tiempo en aquel mundo. Una moneda en desuso que ya nadie conocía y valoraba y que, incluso, se consideraba un obstáculo para la supervivencia misma. Al menos, a corto plazo. Y a largo plazo nadie pensaba, puesto que nadie quería otra cosa que el éxito, mejor cuanto más sonoro.

El mío lo era, sin duda alguna, pero a mí me importaba poco. Últimamente, incluso, comenzaba a incomodarme y a angustiarme. Ya ni siquiera podía pintar tranquilo, ni estar a solas cuando lo deseaba. Continuamente me interrumpían, bien por teléfono, bien presentándose por las buenas en mi casa a cualquier hora, sin importar lo que estuviera haciendo. Y lo mismo me pasaba por la calle. Cualquiera se te acercaba y se ponía a darte consejos, como si todos tuvieran derecho a ello. Incluso se metían en mi vida privada sin complejos, pretendiendo decirme hasta lo que tenía que hacer y no.

Pero, a la vez, me sentía solo. Aunque tenía nuevos amigos (alguno, incluso, lo sigue siendo) y aunque de cuando en cuando veía también a los viejos, cada vez me sentía más solo, pese a que físicamente no lo estuviera casi en ningún momento. Ni siquiera en mi casa, donde continuamente tenía instalado a algún amigo de ocasión o a mi acompañante sentimental en aquel momento.

No hablo de esa soledad de quien se encuentra solo en mitad de la muchedumbre. Hablo de la soledad que implica, además de eso, el extrañamiento, esto es, la sensación de que nada de lo que te rodea tiene realmente que ver contigo. Cosa que sólo te pasa cuando eres centro de algo o cuando menos protagonista. Y yo lo era en aquella época. Como antes lo habían sido otros pintores y como después de mí lo serán sin duda otros, yo era protagonista de aquello que tanto me perturbaba, hasta el punto de que a veces envidiaba a mis amigos por seguir viviendo como yo antes.

Pero ¿cómo explicarles eso a quienes deseaban estar en mi situación? ¿Cómo explicarles a tus amigos, los de verdad, los de siempre, y aun a tu propia familia, que presumía de ti (ahora, que ya eras famoso), que, en el fondo de tu alma, tú les envidiabas a ellos por seguir viviendo como siempre? Y, sobre todo, ¿cómo explicarles a los demás, a los coleccionistas y compradores, a los amigos y a los enemigos, pero sobre todo a aquellos que vivían directa o indirectamente de ti, que estabas harto de todo aquello y que lo que tú querías era regresar al limbo, ahora que, según todos, habías alcanzado el cielo?

VII

El cielo.

Cuántas veces, en el tiempo del que hablo, lo miré desde mi balcón recordando los días en que lo hacía, a solas o junto a Suso, intentando descifrar qué había tras él.

Pero ahora lo veía de manera muy distinta a la de entonces. Ahora no lo veía como aquel lienzo que un gran pintor invisible dibujaba cada día y cada noche para mí, sino como una frontera entre el mundo de los sueños y el real. Esos dos mundos que yo pretendí juntar en un tiempo, aunque pronto me di cuenta de que era imposible hacerlo.

Me empecé a dar cuenta de ello cuando comencé a pintarlo. Me refiero al cielo, claro, cuya perfección buscaba, pero con el que nunca me había atrevido hasta aquella época. En todo el tiempo anterior, aparecía poco en mis cuadros y, cuando aparecía, era una impresión borrosa; una especie de dudosa transparencia que no interfería apenas en la composición pictórica. Ahora, en cambio, su presencia era más fuerte. Tanto casi como la de los objetos. En realidad era el espejo de éstos, cuyas formas y colores lo influían aunque no llegaran a reflejarse del todo en él.

¿Por qué aparecía ahora, de pronto, en un primer plano? ¿Por qué de repente algo que hasta entonces no existía o existía solamente como algo secundario y adjetivo comenzaba a cobrar tanta importancia que a mí mismo me llamaba la atención? Porque, de la misma forma en que los tentáculos habían dejado su sitio a las bayas silvestres y a las frutas en el centro de mis composiciones, las perspectivas interminables y las habitaciones muertas que dominaron aquéllas durante años dejaban su sitio ahora a unos cielos cuya condición de espejos les hacía todavía más presentes y objetivos. Porque eran cielos muy dibujados. Eran cielos coloristas y muy físicos y, por lo tanto, nada adjetivos, a pesar de su condición. Al contrario, dominaban toda la escena, que envolvían a la vez que reflejaban, como esos cielos de atardecer que parecen adueñarse de la tierra en las tardes del verano madrileño.

Como me ha sucedido siempre, cuando reparé en el hecho fue cuando éste era ya más que evidente. Cuando advertí la importancia de las transformaciones que aquellos cielos introducían en la composición y en la idea de mi pintura fue cuando comencé a pensar en ellas y en las razones de su imposición. Porque, como me había pasado años atrás con las hojas o con los frutos y con las perspectivas, aquellos cielos se me imponían más que pintarlos yo voluntariamente. Yo lo que decidía era la composición central de la obra, esto es, la más visible, pero, al final, resulta que lo adjetivo, lo que en principio tenía que ser secundario, se convertía, sin que yo lo pretendiera, en el corazón del cuadro.

Confieso ahora que, cuando eso me sucedía, aunque me hizo pensar en ello, no me importó tanto como después. Quiero decir que en aquella época yo estaba tan centrado —o descentrado— en otras cosas que, si bien me daba cuenta de aquellas transformaciones, no les prestaba tanta atención como ahora les presto. Seguramente es que las circunstancias no me permitían hacer otra cosa entonces. Seguramente es que, en aquella época, todo era tan confuso en torno a mí que no podía pensar ni pintar con calma. Por eso, aunque veía los cambios que en mi pintura se producían últimamente, yo no podía influir en ellos porque no tenía tiempo siquiera de analizarlos.

Y lo mismo me pasaba con mi vida. Por más que mi pretensión fuera la de seguir igual, por más que me resistiera a cambiar de hábitos y costumbres, por más que yo rechazara convertirme en el hombre que no era, mi vida había cambiado más de lo que yo creía. Y no me refiero tanto a sus aspectos más anecdóticos, tales como mis costumbres o a mi forma de vestir y de actuar, como a mi relación con mi propia obra.

Porque, por vez primera en mi vida, comencé a dudar del sentido de ésta. Quiero decir que comencé a dudar del sentido que mi obra tenía para mí, al ver el grado de obligación que de repente se establecía en mi relación con ella.

Era normal que me sucediera. Durante toda mi vida, la pintura había sido para mí, además de una pasión, una pulsión gratuita (la de la búsqueda total de la belleza), y ahora se había convertido en algo útil y obligatorio o, cuando menos, inducido y forzado desde fuera. Por vez primera en mi vida, descontadas las escasas ocasiones en las que alguien me había encargado un cuadro, sabía que detrás de mí había gente esperando a que acabara cada uno de mis cuadros y dibujos; unos para venderlos, otros para comprarlos y otros para analizarlos como si fueran piezas de un gran rompecabezas que yo iba entregando poco a poco y de una en una. Y eso que, por una parte, me confortaba y me daba ánimos (por primera vez también, sabía que no tendría que esperar a que la gente pudiera ver lo que hacía), por otra me hacía dudar de si no estaría cayendo justo en lo que más odiaba: en la profesionalización de la que tanto había huido.

Comencé a pensarlo una noche en la que, sin poder dormir (como de costumbre en aquella época, había bebido mucho), me levanté y me fui al salón, donde me esperaba el cuadro que pintaba desde hacía varios días con sus noches. Era un cuadro muy sencillo; una composición que mostraba, como todas las que hacía en aquel tiempo, un bodegón irreal en el que varias frutas y frutos, granadas principalmente, se alineaban en un plano que quería ser una mesa, pero que, de momento al menos, no era más que un leve apunte. Alrededor, un papel les servía de envoltorio y de soporte y, al fondo, el cielo, muy dibujado, tenía los mismos colores y brillos que las granadas: granate fuerte por dentro y ocre terroso por fuera. Me quedé mirándolo un rato y de repente empecé a pensar en cuál sería la razón que me había llevado a pintar aquello. Es decir: por qué tenía que pintarlo, cuando perfectamente podía no hacerlo y el cuadro no llegar a serlo nunca, como sucede con esos niños que nunca llegan a nacer porque nadie los desea hasta ese punto.

Ahí estaba la pregunta: ¿realmente necesitaba yo aquella obra? ¿De verdad quería pintarla o se trataba más de la simple inercia de un ejercicio pictórico que se había convertido para mí ya en un oficio o, peor aún que esto, de la obligación que yo me imponía de entregar cada poco al mercado una obra nueva, no tanto porque necesitara hacerla como porque éste me la pedía?

Durante toda la noche, me quedé pensando en ello. Mientras fumaba en silencio sentado en un butacón, miraba y miraba el cuadro intentando descubrir cuál sería la razón que me había llevado a hacerlo. Pero no se la encontré. Por más que pensaba en ello, no pude hallar el motivo que me llevó a pintar aquel cuadro y que durante varios días me hacía volver a él, como no fuera la simple inercia. No la necesidad de pintarlo.

Al margen de todo ello, el cuadro no estaba mal. Al revés, participaba de aquel misterio sutil que mi pintura había adquirido y, técnicamente al menos, estaba muy bien resuelto: las perspectivas se deshacían sin romper el equilibrio ni el misterio contra el cielo, las granadas se apoyaban en la mesa como si de verdad pesaran y el conjunto proyectaba una impresión de serenidad que contagiaba a toda la obra. Entonces..., ¿por qué no terminaba de gustarme? O, mejor: ¿por qué me preocupaba no conocer la razón que me había llevado a pintarla, si, al fin y al cabo, era la misma de siempre?

Esto era lo peor. Que, si aquel cuadro no tenía razón de ser, si no era más que un fruto del capricho personal o del azar, o, peor aún que eso, de la obligación que yo me imponía de pintar cada poco un nuevo cuadro, lo mismo podría pensar de todos los que había hecho en aquellos años. Todos eran parecidos, todos participaban del mismo estilo y la misma idea y todos, en fin, tenían la misma atmósfera misteriosa que los críticos tanto alababan y que a mí, en cambio, me planteaba cada vez mayores dudas y sospechas. Aunque, por supuesto, no se lo confesara a nadie. Ni siquiera a Suso, que, a esas alturas, debía de estar tan desconcertado como todos los demás por mis continuos cambios de estilo.

Me levanté y me asomé al balcón. Era una noche de primavera. Hacía frío todavía, pero el aire ya tenía ese aroma inconfundible que le presta la primera flor del año. La calle estaba desierta (eran las cinco de la madrugada), pero, en la plaza, entre los cipreses, se veía la silueta de mi amigo el vagabundo, que, como yo desde hacía ya rato, fumaba a solas en su banco. Tras él, las líneas de la ciudad (las de los edificios de la Gran Vía, pero también los de Recoletos, entre las que destacaba, hacia la Cibeles, el de la Caja Postal de Ahorros, en cuya gigantesca hucha de neón caía continuamente una moneda) dibujaban el perfil de un cielo oscuro, pero lleno de destellos y de brillos. Eran las luces de la ciudad, que dormía ajena a ellas y a la mirada de quienes, como el vagabundo y yo (o como el conductor del coche que ahora cruzaba la esquina), permanecíamos insomnes y despiertos entre tanto. ¿Qué nos unía a los tres? ¿Qué me unía a mí al vagabundo y al conductor de ese coche que ahora cruzaba la esquina, seguramente de vuelta a casa después de una noche en blanco? Y, sobre todo, ¿qué nos unía a los tres con aquella gente que dormía en torno a nosotros ajena a nuestras miradas?

Sin duda, la soledad. Porque los tres, cada uno a nuestra manera, estábamos solos en aquel momento. Una soledad nocturna que, en el caso del vagabundo, debía de ser total (por eso vivía como vivía) y, en el del conductor del coche, quizá fuera pasajera y momentánea (hasta que llegara a casa), pero que, en el mío, ni siquiera tenía un motivo. Al contrario que ellos, yo tenía compañía aquella noche, como la mayoría. Entonces, ¿por qué me sentía tan solo?

Volví a contemplar el cuadro. Desde el fondo de la casa me llegaba el rumor de la nevera, que ya era muy antigua, y de la respiración de Carla, la chica de cuyo abrazo acababa de escapar y al que no me apetecía regresar, al menos por el momento. Me apetecía seguir a solas, contemplando aquel cuadro cuyo cielo me atraía tanto desde hacía rato.

Me sorprendió el amanecer contemplándolo. El frío de la mañana, que me cogió por sorpresa a pesar de conocerlo ya de sobra, me hizo volver a la realidad después de toda la noche dándole vueltas a aquella obra. Dándole vueltas sin hacer nada. Porque en toda la noche ni siquiera me acerqué a ella, ni para ver de cerca un detalle. Era como si me diera miedo enfrentarme al vacío que sentía había detrás de ella y que tenía que ver con el mío propio. Aquel vacío infinito que crecía día a día en mi interior y que se correspondía con el del cuadro que ahora tenía frente a mis ojos. ¿Vendría de él su melancolía? ¿Sería ésa su razón de ser? ¿Sería el vacío la explicación de que el cielo lo ocupara casi entero y de que fuera idéntico al que amanecía en aquel momento sobre Madrid?

VIII

Por la mañana, volví a mirarlo. Desde el balcón y en el propio cuadro. Los dos habían cambiado, como si éste fuera un espejo del de verdad.

Carla se había ido temprano (me despidió con un beso al que yo respondí entre sueños) y la casa estaba en silencio. Como de costumbre hacía, había desconectado el teléfono para poder dormir sin problemas hasta que me despertara. Últimamente, solía hacerlo muy tarde. Y con resaca, la mayoría de las veces. Día sí y día también, acababa la noche en alguna fiesta o en cualquiera de los bares que entonces eran obligatorios. Y bebía, cómo no. Siempre había bebido mucho (era la moda en aquellos años), pero en los últimos tiempos bebía cada vez más. Y fumaba. Tabaco o lo que cayera. Era también la moda y mi obligación, si quería estar a la altura de mi imagen como artista.

Pero ahora me arrepentía de haber bebido y fumado tanto. Como la mayoría de los días, me arrepentía de haber bebido y fumado tanto y de haber perdido la noche prolongándola de bar en bar, primero, y acostándome luego con una chica a la que sólo me unía el deseo; ni el más mínimo interés sentimental o personal. Estaba ya acostumbrado. Casi como por inercia, acababa haciéndolo cada noche y luego me lamentaba, pese a que al día siguiente volviera a hacer lo mismo que el anterior. Llevaba así mucho tiempo.

Aquel día, sin embargo, mi arrepentimiento era mucho más que eso. La resaca era la misma y la sensación de hastío igual que la de otras veces, pero mi arrepentimiento era mucho más que eso. Otros días, al despertarme, sentía que aquella vida comenzaba ya a aburrirme y a cansarme, pero nunca, como ahora, con aquella intensidad. La razón estaba sin duda en el descubrimiento que aquella noche había hecho mientras contemplaba el cuadro que ahora volvía a tener enfrente: el vacío que había en él era el mismo que sentía dentro de mí en aquel momento.

El descubrimiento que eso supuso me costó asimilarlo aún mucho. Como siempre me sucede, entre que descubro algo y lo asumo de verdad, ha de pasar algún tiempo, que varía según su trascendencia y según mis circunstancias personales en el momento. Y las que estaba viviendo entonces no eran, sin duda, las más propicias para aceptar aquél con normalidad. Como pintor vivía mi mejor época, en lo económico las cosas me iban cada vez mejor (ya ni siquiera debía dinero a la galería) y el futuro se me presentaba espléndido, por lo menos en lo material. Así que no era el mejor momento para aceptar que el vacío que sentía fuera algo más que una sensación.

Pero lo era, vaya que si lo era. Aunque intenté borrarlo de mi memoria y aunque nunca lo comenté con nadie (¿con quién podría haberlo hecho, pienso ahora, al recordar aquello?), aquella sensación me perseguía, sobre todo por las noches, cuando me quedaba solo. Durante el día, estaba tan ocupado, siempre rodeado de gente o entregado a mi trabajo de pintor, que no tenía tiempo de sentir nada. Pero, de noche, cuando volvía a casa de madrugada o cuando, sin salir de ella, daba por concluido el trabajo, sentía que un gran vacío se abría en mi corazón. Daba igual que estuviera acompañado. El vacío que sentía era tan fuerte que me hacía sentirme solo a pesar de ello.

En realidad, aquel sentimiento no era nuevo para mí. En mis primeros años en Madrid ya había sentido aquella zozobra que de pronto me asaltaba en plena noche sin que hubiera un motivo concreto para ello. Pero fueron ocasiones muy puntuales. Y pasajeras, como los sueños. Ahora, en cambio, aquella sensación era más fuerte y, sobre todo, se repetía con más frecuencia. Recordé la frase de un escritor cuya entrevista me impresionó cuando la leí (acababa de llegar yo a la ciudad y él era el más conocido del país en aquella época): «El éxito está vacío», pero también mis propias palabras, aquellas que repetía a menudo, convencido de su capacidad de seducción: «Vivir solo no es tan fácil. Por la mañana, es verdad, te das cuenta de la libertad que tienes, pero de noche, a veces, la libertad se te cae encima».

El problema era que aquello cada vez lo repetía más. Y que no lo hacía, como antes, para impresionar a la mujer que me gustaba o que quería conquistar, sino que la repetía casi con miedo, temeroso de que no surtiera efecto. Cada vez me daba más miedo quedarme solo en la noche y enfrentarme a aquel vacío que solía llegar con ella.

Por eso, de un tiempo a acá, retrasaba en lo posible el momento de volver a casa y, cuando por fin lo hacía, solía hacerlo borracho. Daba igual que lo hiciera acompañado o que lo estuviera ya antes de salir de aquélla. Solía llegar borracho o, por lo menos, con unas cuantas copas. Lo cual, lejos de hacerme más llevadera la noche o de contribuir a la excitación que se suponía me había empujado a entablar una nueva relación sentimental, acentuaba más aún aquel vacío y hacía de ésta, algunas veces, un verdadero suplicio.

Y es que el alcohol ya no me confortaba. Al contrario que cuando era más joven, el alcohol ya no me imbuía de optimismo y de entusiasmo, sino que me producía una gran tristeza. Aunque por fuera no lo pareciera. Aunque mis amigos no se dieran cuenta. Yo, por supuesto, no se lo iba a contar, entre otras cosas, para no parecer más frágil.

Pero lo era. Tanto como cualquier otro. Aunque tenía fama de fuerte y de estar muy seguro de mí mismo, especialmente en mi trabajo, yo era tan frágil como cualquiera, pese a que lo disimulara. Aunque mi debilidad tenía otras causas. Mi debilidad no venía del miedo, ni siquiera del temor a un futuro imprevisible e indescifrable en aquel tiempo, sino de la eterna lucha que mantenía entre el deseo de libertad y de compañía, entre las ganas de ser famoso y desconocido, entre el deseo de proseguir con aquella vida y el de abandonarlo todo para volver a ser el que era. Esa lucha que libraba hacía ya años y que cada vez me costaba más esfuerzo seguir librando cada día.

Ésa era la razón del vacío que sentía ya hacía tiempo. Ésa y no otra era la explicación a la zozobra que me embargaba desde hacía meses y que acentuaba aún más el alcohol, sobre todo mezclado con el hachís. Porque, como me sucedía con aquél, los porros ya no me daban la brillantez y la placidez que me daban antes. Hablo de cuando fumaba, no para apaciguar mi vacío y mis miedos nocturnos como ahora, sino para sentir más, para estar más receptivo y abierto a las sensaciones. Por eso, aquéllos iban en aumento, como si fueran manchas de soledad, y por eso, muchas noches, se convertían en pesadillas cuando me quedaba solo o, cuando después de hacer el amor con quien estuviera, me quedaba horas y horas mirando al techo, mientras mi acompañante dormía sin darse cuenta a mi lado.

Solamente me calmaba la pintura. Solamente mi trabajo podía llenar el vacío que crecía poco a poco en mi interior y que amenazaba ya últimamente con convertirse en una obsesión. Pero ni siquiera entonces podía pintar a gusto. Continuamente asediado y exigido por la gente, ya fuera ésta la de la galería, que definitivamente había puesto todas sus esperanzas en mí, ya fueran los periodistas, que siempre buscaban algo con que llenar sus informaciones, apenas podía pintar tranquilo, al ritmo en que yo quería y de la forma en la que me gustaba. Esto es: demorándome sin prisa en cada obra y buscando en cada una una emoción diferente.

Y es que todos tenían mucha prisa. La galería, por ejemplo, no tenía tiempo para esperar por mí ni por nadie, y mucho menos para explicaciones. Atrapada por las modas y el éxito comercial, urgida por el momento y por las exigencias de sus clientes, la galería no tenía tiempo para esperar por mí ni por nadie y te urgía continuamente a que apuraras tu producción. Daban igual tu estilo y tus objetivos. Daba lo mismo lo que a ti te interesara o preocupara en ese momento. Continuamente te metía prisa, cada vez de una manera, cada vez con un motivo o con una excusa distinta, para que no perdieras el puesto de privilegio que, según toda la gente, habías alcanzado en el panorama artístico nacional. Y eso sólo se lograba, al parecer, estando siempre en primera línea, renovando cada poco tu estilo y tu inspiración (eso sí, sin grandes cambios, no fuera a pasar que éstos se te volvieran de pronto en contra) y, por supuesto, estando presente en todos aquellos actos en los que comparecían los escritores y los artistas más importantes de aquel momento.

Yo lo hacía algunas veces, aunque no tanto como quería Corine. A Corine le hubiese gustado una mayor presencia mía en aquéllos, al tiempo que una mayor producción pictórica. Lo cual, aparte de contradictorio (si me dedicaba a asistir a fiestas, ¿cuándo iba a tener tiempo de pintar?), indicaba la idea que ella tenía de la pintura, por mucho que presumiera de lo contrario. Y lo mismo pasaba con sus clientes, preocupados solamente por invertir bien su dinero negro, y con los periodistas, cuyo trabajo consiste precisamente en exprimirte como a un limón mientras estás de moda y de actualidad. Y, por supuesto, con todas esas personas que, por saber de arte o por pretenderlo, se consideran con el derecho a criticarte y aconsejarte, ya sea en privado, si son amigos, ya sea en público, si son profesionales de la crítica. Entre todos (y entre los que uno no llega, por suerte, a conocer nunca, pero que también te miran y están pendientes continuamente de lo que haces) habían conseguido que empezara a estar harto ya de todo, por más que me conviniera seguir haciendo lo que decían.

Pero una cosa era hacer lo que debía y otra hacerlo contra mi voluntad. Si hasta entonces lo había hecho era porque me convenía, es cierto, pero también porque no me molestaba demasiado. Incluso, durante un tiempo, había estado convencido de que era lo que más me interesaba, pero también lo que quería hacer de verdad. Al fin y al cabo, desde muy joven había soñado con ser pintor y con ser admirado por ello. Pero ahora estaba cansado precisamente de todo eso. Ahora estaba harto de aquella vida que, al parecer, comportaba el éxito y que, lejos de hacerme más feliz, me llenaba de angustia y de miedo por las noches. Aunque la gente no lo supiera y continuara pensando que era el hombre más feliz de la ciudad.

IX

Una de aquellas noches, decidí romper con aquella vida. Lo decidí sin decirlo a nadie, ni siquiera a mis amigos más cercanos, como Suso.

Lo decidí sin hablar con nadie. No lo había hecho hasta aquel momento, mientras maduraba a solas la idea que me rondaba desde hacía tiempo, así que menos lo iba a hacer ahora, cuando ya había tomado la decisión.

En realidad la había tomado hacía ya algunos meses; tras la exposición de Asturias, que organizó el Gobierno del Principado reivindicándome de ese modo para mi tierra (a mí, que nunca había recibido más que críticas de mis paisanos, primero por no ser nadie y luego por lo contrario). Pero me faltaba el paso. Me faltaba convencerme a mí mismo todavía de que lo que había decidido era lo que tenía que hacer. Y es que una cosa es decidir algo y otra muy diferente aceptar la decisión que uno ha tomado.

Eso lo haría una noche, de vuelta a casa, de madrugada. Como las últimas noches, que eran de invierno y bastante frías, solía regresar solo, pues ya no me gustaba compartirlas con cualquiera, como hasta entonces. Prefería acostarme solo y despertarme por la mañana sin tener que mentirle a nadie. Venía de alguna fiesta, ya no recuerdo dónde. Por la calle, sólo había borrachos y barrenderos y algún taxi que pasaba en busca de algún cliente. En la plaza de las Salesas, en cambio, varios mendigos dormían envueltos entre cartones y acurrucados sobre los bancos. Todos salvo el más antiguo. El más antiguo de todos, aquel que llevaba allí viviendo ya varios años, permanecía despierto, como solía, contemplando la noche como una esfinge. Quizá lo era realmente después de tanto tiempo haciéndolo allí solo.

Me acerqué a él, como aquella vez. Aquélla fue él quien me llamó a mí (para pedirme tabaco y fuego) y ahora fui yo el que se los pedí a él. Me había quedado sin cigarrillos. Me lo dio y encendió otro para sí. Era un ducados y estaba fuerte, pero me reconfortó. No tanto por el tabaco como por la oportunidad que me daba de hablar un rato con aquel hombre que una noche, hacía ya años, me había enseñado a mirar y a comprender el cielo de Madrid y al que continuaba viendo todos los días, siempre sentado en el mismo sitio.

El hombre me miró sin decir nada. Me miró y siguió a lo suyo esperando que yo fuera el que empezara alguna conversación. Pero no se me ocurría de qué hablar con él en aquel momento. Estaba a gusto a su lado, a pesar del frío que hacía, pero no se me ocurría de qué hablar con aquel hombre que, mientras tanto, seguía en silencio, como si a él le ocurriera igual.

—La soledad es dura —afirmó de repente, sin embargo.

Me dejó desconcertado. Parecía como si supiera lo que pasaba por mi cabeza en aquel momento.

—Sin duda —le respondí.

—No creas que no te entiendo —confirmó—. Te veo todos los días entrar y salir de casa. Incluso cuando estás en ella.

—Y yo a usted —le respondí.

Pero él ni siquiera me escuchó.

—Te veo ir y venir —confirmó, sin mirarme, mientras contemplaba el cielo y chupaba su cigarro con placer— y sé que no eres feliz. Te pasa lo que a la mayoría. ¿No ves todas esas luces? —dijo, indicando a lo lejos—. Es gente que está despierta. Gente que no puede dormir... ¿Y sabes por qué no duerme? Porque está sola, como nosotros —prosiguió su monólogo el vagabundo, mientras yo le escuchaba, respetuoso, sin atreverme a interrumpirle ni a cortarle.

Parecía como si yo no estuviera allí. El hombre hablaba y hablaba como si estuviera solo, quizá por la costumbre o porque le daba igual lo que yo pensara. En eso era como todos, sólo que él decía cosas distintas. Y originales. Por ejemplo, me contó lo que pensaba de Madrid, que era su ciudad natal (había nacido, según me dijo, en Cuatro Caminos, que entonces era un barrio de chatarreros):

—Madrid no es una ciudad, Madrid es una entelequia... ¿Tú sabes lo que es una entelequia? —me preguntó muy serio, mirándome.

—Por supuesto —dije yo, sin saber adónde me iba a llevar.

—Cualquier ciudad de verdad: París, Londres, Nueva York..., está a la orilla del mar o de un río en condiciones. ¿Qué río tiene Madrid?... Ninguno —se respondió él mismo—. ¿Y por qué? Pues porque Madrid es una entelequia... ¿Y cuáles son los mitos de Madrid? —siguió pensando en voz alta—. ¡El oso y el madroño, ya ves tú, que ni hay osos ni madroños y dudo mucho que los hubiera nunca!

—¿Tú crees? —me atreví a contradecirle yo.

—¿Cómo que si lo creo? —me miró, con cierto recelo—. ¡Por supuesto que lo creo!... ¡Pero si aquí no había ni tomillos! Si esto era un solar baldío que no valía ni para criar hurones... ¡Y la catedral! ¿Qué me dices de la catedral —exclamó, mirándome nuevamente—, que la han hecho en cuatro días y a destiempo? ¿Te parece eso una catedral a ti?

—Pues no —corroboré con un gesto, no fuera a ser que se molestara.

Y es que, además, tenía razón en parte. No tanto en lo de los símbolos, que, al fin y al cabo, sólo son eso, o en lo del Manzanares, el riachuelo serrano junto al que nació Madrid, que ninguna culpa tiene de que ésta creciera tanto, como en su interpretación de la ciudad en la que los dos vivíamos, él desde su nacimiento.

—Todos los que vivimos aquí somos unos pobres hombres. Tú, yo, todos esos que están durmiendo por ahí —señaló los bancos de alrededor—, los que están ahora en sus casas... Aunque la mayoría piensen que son la hostia —añadió, con una sonrisa.

—¿De verdad tú piensas eso? —le pregunté, por decir yo algo.

—No es que lo piense, lo sé —me dijo él, muy seguro—. Lo veo todos los días sin necesidad de moverme de este banco.

—Entonces, ¿por qué sigues en Madrid?

—Por el cielo —me respondió, señalándolo, como aquella noche de hacía ya años.

Me quedé mirando al cielo, como él. A través de los árboles desnudos en cuyas ramas se adivinaban las sombras de las palomas cuyos zureos acompañaban el sueño de los mendigos, me quedé mirando la noche, que era lo que ahora era el cielo: una mancha negra y gris, como la que había en el viejo Limbo. Sólo que el de ésta no tenía estrellas. El cielo estaba cubierto (lo estaba desde hacía días) y apenas si se veía el reflejo de la luna, que la había, hacia Aranjuez.

Observé de reojo al vagabundo. Se llamaba Fermín, según me dijo él también (aunque yo ya lo sabía: por el dueño de Sam, que era amigo suyo), y andaría por los cincuenta años. No muchos más que yo, en todo caso, aunque aparentara el doble. Sin duda por el alcohol, que era la verdadera razón por la que vivía en la plaza, aunque él prefiriera decir que era por el cielo. En eso se parecía a todos los vagabundos que he conocido a lo largo de mi vida.

—Mira, pintor... Porque sé que tú eres pintor —me sonrió, chupando el cigarro—. Lo que tú buscas lo tienes ahí arriba. Todo lo que tú buscas... Y lo que no buscas también... Lo único que te falta es entenderlo, como a todos —sentenció, como si fuera un sicoanalista.

—¿Tú crees? —le dije yo, divertido (me divertía oírle hablar como si lo fuera).

—Lo que te pasa a ti —siguió, sin hacerme caso— es que no quieres entenderlo. Porque saberlo lo sabes ya, ¿a que sí?... Si no —apostilló mirándome— no estarías ahora aquí conmigo.

Yo le escuchaba en silencio. A mi alrededor, la plaza seguía también sin un ruido, pero, poco a poco, los árboles comenzaban a cobrar vida. Eran los pájaros, que despertaban alertados por nuestra conversación y por la claridad que ya comenzaba, más que a verse, a insinuarse por el este. Hacía frío, pero yo apenas lo notaba, tan bien estaba en aquel momento.

—¿Tú nunca duermes? —le pregunté al vagabundo.

—Depende —dijo él.

—Depende... ¿de qué?

El hombre me miró de arriba abajo. Parecía como si hubiese dicho algo improcedente, aunque en seguida cambió su gesto.

—De los fantasmas —me dijo.

—¿Los fantasmas?... —ahora el desconcertado era yo.

—Los de la noche —me respondió.

Pensé que iba a seguir hablando, pero se quedó en silencio. Se quedó callado y muy serio, como si algo se le pasara por la cabeza que no le gustaba mucho. Sólo al cabo de un buen rato, habló para preguntarme:

—¿Tú nunca los has visto?

—A veces —le concedí.

—Yo muchas —me dijo él—. En cuanto cae la noche, empiezo a verlos por todas partes... Tú mismo, sin ir más lejos —añadió, mirándome de reojo—, podrías ser uno de ellos.

—¿Yo? —exclamé, asombrado.

—Sí, aunque tú no te des cuenta. Ninguno sabe que es un fantasma hasta que alguien lo descubre y se lo dice... A mí me lo dijo un tipo que había estado muchos años embarcado en alta mar —dijo, arrojando el cigarro hacia el seto que tenía junto a él.

Me dejó desconcertado nuevamente. El hombre hablaba y hablaba aparentemente con incoherencia (el alcohol y la locura se la daban), pero, de vez en cuando, decía una frase que me dejaba sin más respuesta. Como ahora, cuando había removido en mi interior todas mis obsesiones con lo que dijo:

—No te engañes. Se ve que no eres feliz. Si lo fueras, estarías en la cama como todos, en vez de aquí hablando conmigo.

Volví a contemplar el cielo. Definitivamente el amanecer estaba ya aproximándose y, por el este, una luz muy débil iluminaba los edificios y los tejados de los más cercanos; una luz tan fría y débil que parecía un efecto óptico. Pero, tras ella, un rumor fugaz, como de un oscuro volcán, comenzaba a crecer en torno a aquéllos y en las ventanas de una ciudad que ya empezaba a despertar, como indicaban las luces en muchas de ellas. Era el ritual de cada mañana. El mismo que yo veía al regresar a casa de madrugada o, desde la ventana de mi habitación, antes de irme a dormir. Pero ahora no lo veía igual que otras madrugadas. Ahora no lo veía con la distancia del que se sabe ajeno al ritual y, por lo tanto, un privilegiado, sino como un habitante más de la gran ciudad en la que vivía, pese a que lo hiciera al margen de todos. Primero al margen de ella y ahora al margen incluso de mí mismo. Como aquellos vagabundos que dormían o velaban el sueño de los otros (de cuando en cuando, alguno se removía entre sus cartones, demostrando de ese modo que no estaba dormido plenamente), yo me había ido apartando poco a poco de la vida ciudadana, convirtiéndome en un fantasma, como Fermín. Y como todos los vagabundos que, como él, vivían en la plaza y eran por tanto los primeros en ver el amanecer.

—Me voy —le dije a aquél, alejándome.

—Adiós —me respondió él, sin hacer ni un gesto.

Y siguió así, como estaba, mirando al cielo, que amanecía, hasta que le perdí de vista.

X

Tardé en encontrar el sitio. Durante bastante tiempo, busqué por toda la sierra, incluso en las provincias limítrofes de Madrid, pero tardé en encontrar el sitio. No era tan fácil como pensaba.

Antes de ello, además, tuve que decidir qué quería; quiero decir: dónde deseaba vivir, cosa que no tenía aún clara. Porque lo que tenía claro era que quería irme de Madrid. Pero no adónde. Ni siquiera si era de forma definitiva.

Mi primer pensamiento fue el de regresar a Asturias. Pero lo deseché en seguida. Volver a Oviedo o a Gijón, como hizo Paco Arias ya hacía años, hubiera sido un error, puesto que a los pocos meses ya me habría arrepentido como él. Al fin y al cabo, tanto Gijón como el propio Oviedo no dejaban de ser otras ciudades, sólo que más pequeñas que Madrid. Y, por lo que se refería al pueblo, que era otra posibilidad, tampoco me apetecía volver a él en aquel momento, puesto que mi madre vivía ahora allí. Y una cosa era volver a las raíces y otra distinta a la adolescencia.

Desechado el regreso a Asturias, las opciones eran diversas. Una era irme a la costa y otra quedarme en el interior; una irme a un pueblo grande y otra a una casa en mitad de un monte. Todas tenían su lado bueno y su lado malo, aunque no todas me gustaban por igual. Por ejemplo, aunque vivir al lado del mar me atraía (siempre lo he echado de menos), a la vez me inquietaba volver a hacerlo. Tenía miedo de caer en esa especie de conformismo que el mar y el sol te contagian y que había visto en Juan, cuando estuve con él en Ibiza. Además, estaba muy lejos. Aunque quería irme de Madrid (más que irme de Madrid, huir de mi propia vida), tampoco quería alejarme mucho. Aunque me disgustara, seguía dependiendo de Madrid para vivir, porque allí estaban mi galería y mis compradores.

Así que opté por la decisión quizá menos arriesgada. O, por lo menos, la más sensata: buscar un sitio en la sierra, un pueblecito tranquilo en el que poder pintar sin molestias, pero que a la vez estuviera lo bastante cerca de Madrid como para volver a ella cuando quisiera. Al fin y al cabo, y aunque me gustaba el campo, yo era ya un animal urbano.

Pero tardé en encontrar el sitio. Aunque la sierra de Madrid está llena de rincones y de pueblos, me costó encontrar el lugar en el que me gustaría vivir, aunque fuera solamente por un tiempo. La mayoría de las aldeas estaban ya estropeadas por la proximidad de la gran ciudad y los pueblos que se conservaban bien eran demasiado tristes. El caso es que tardé mucho en encontrar el lugar perfecto y, a la vez, al alcance de mi economía.

Lo encontré en el pueblo de Miraflores, después de dar muchas vueltas. Era el sitio que buscaba. Un chalet de veraneo, de los años treinta, con un pequeño jardín detrás. Cuando lo vi, ambos estaban abandonados. Hacía ya mucho tiempo que nadie debía de cuidar de ellos y se veía ya el deterioro que invadía todo el conjunto. Al parecer, la dueña, que era muy vieja, aunque vivía en Madrid, hacía ya muchos años que ni siquiera iba a visitar la casa y solamente un sobrino aparecía de tarde en tarde a comprobar que seguía en pie. Fue él quien me la alquiló. Por un precio mayor del que debía, dado el estado en que se encontraba, pero que yo acepté sin pensarlo mucho, tantas eran ya mis ganas de marcharme de Madrid.

Ni siquiera la pinté antes de mudarme a ella. Ni la pinté ni limpié el jardín, que, con el verano encima, se había llenado de ortigas y hierbas de todo tipo. Me limité a ventilar la casa y a mandar arreglar algunas cosas (la instalación de electricidad, que era muy antigua ya, y la bañera, que estaba rota) y me mudé a ella sin demora, un día de mayo de 1994.

El día antes de irme, llamé a Suso para despedirme de él. Quedamos en el Gijón, como en nuestros viejos tiempos. Me hubiera gustado hacerlo en El Limbo, pero éste ya no existía.

—Me voy —le dije a Suso, cuando llegó.

—¿Adónde? —me preguntó.

—De Madrid —le dije yo.

Se me quedó mirando muy serio. Últimamente, apenas si nos veíamos. Los dos estábamos ya mayores, él a punto de cumplir ya los cuarenta y yo en la próxima primavera.

—¿Y eso? —me preguntó.

—Me cansé —le dije yo.

Suso volvió a mirarme con atención. Como si no acabara de creerme. Tantas veces había amenazado con irme de Madrid que estaba justificada su desconfianza.

Pero esta vez se veía que yo estaba hablando en serio.

—¿Y adónde? —me preguntó Suso, convencido de que aún no lo habría decidido.

—Sí —le dije yo, sorprendiéndolo—. Muy cerca —añadí, sonriendo y llamando al camarero para que nos atendiera—. ¿Qué quieres? —pregunté a Suso.

—Un gin-tonic —respondió.

—Dos —le dije yo al camarero, que se fue en busca de las copas sin saludarnos siquiera, como solía ser habitual.

Suso me miró de nuevo. Por su memoria pasaba seguramente en ese momento una sucesión de imágenes, todas relacionadas conmigo, que irían desde nuestro primer encuentro hasta los últimos y esporádicos de aquellos últimos años. Unos años, estos últimos, que habían pasado muy deprisa, al menos en mi impresión.

—Te veo muy decidido —me dijo Suso, aceptando que esta vez yo hablaba en serio.

—Ya tengo casa —le dije, por si le quedaran dudas—. Mañana hago la mudanza.

—¿Mañana?

—Mañana —repetí yo—. Si me quieres ayudar...

—Por supuesto —dijo él, que estaba habituado a hacerlo. En diecinueve años en Madrid, tanto uno como el otro nos habíamos mudado casi tantas de lugar de residencia.

—No te preocupes —le dije yo, sonriendo—. Lo hacen todo los obreros de la empresa.

—¡Hombre, algo hemos prosperado! —ironizó él, como siempre, devolviéndome la sonrisa.

Pero la suya era un tanto amarga. Más tratándose de él, que nunca hacía concesiones. Era una sonrisa amarga como el limón del gin-tonic que acababa de traerme el camarero.

Suso agitó el suyo y se quedó mirando el café. Eran las diez de la noche. Una hora en la que apenas había gente en las mesas y la que había estaba en la terraza. Comenzaba ya a hacer calor en Madrid.

—Me cansé —volví a repetirle a Suso, como si me justificara.

—Normal —me respondió él. Y, añadió, después de darle un trago al gin-tonic y de echar un vistazo en torno a sí—: Lo que me extraña es que hayas aguantado tanto.

No supe qué responderle. Suso tenía razón, como siempre, así que ¿qué le podía decir? Si acaso, precisarle que mi huida no lo era tanto de Madrid como del mundo en el que vivía desde hacía años. Que no tenía nada que ver con el de él.

Pero no me hizo falta decirle nada siquiera.

—Volverás —me dijo Suso—. Esta ciudad engancha más de lo que tú te piensas.

—¿Tú crees? —le dije yo, sin reconocérselo.

—Madrid es lo que tiene: que, por un lado, te agota, pero, por otro, te mantiene vivo. Por una parte, te engancha y, por otra, te quema y te maltrata... Y lo que te pasa a ti es que estás en la fase en la que te quema. Desde hace mucho, además.

—¿Y tú? —le dije yo, desviando la pregunta hacia su persona.

—Yo estoy entre dos aguas —me dijo él, sin reconocer que también estaba ya harto de Madrid.

No lo podía reconocer. Aunque sabía que yo era consciente de lo que él sentía y lo que pasaba por su cabeza en cada momento (después de tantos años de amistad, los dos nos conocíamos muy bien), no podía reconocerme que también estaba harto de Madrid, aunque siguiera aferrado a ella. Era su forma de seguir vivo.

Porque ¿qué otra cosa podía hacer, si no? ¿Volver a La Coruña, con su familia, y convertirse en un abogado como su padre? ¿Reconocer que había perdido veinte años engañándose a sí mismo para no tener que enfrentarse a la realidad?

Como la noche en que me despedí del limbo (¡qué lejos quedaba ya!), volví a sentir la melancolía de cerrar otra etapa de mi vida para siempre en aquel momento. Sólo que ésta lo hacía yo mismo. Y voluntariamente, no como aquélla. Lo cual no me evitaba sentir una gran zozobra y hasta cierta nostalgia de unos años que iba a dejar para siempre atrás.

—¿Otro gin-tonic?

Tomamos otro gin-tonic y otro más antes de irnos, cosa que hicimos hacia la medianoche, cuando el Gijón ya estaba a punto de cerrar. Por la calle, la gente iba y venía aprovechando la primavera y Suso y yo bajamos por Recoletos, disfrutando también de la madrugada y demorando la despedida. La fuente de la Cibeles refulgía en su glorieta como si fuera una gran postal y la ciudad entera, bajo sus luces, parecía una enorme estrella que se hubiera caído del cielo aquella noche. No era tan fea Madrid, pensé yo en ese momento, sintiendo ya por anticipado la nostalgia que imaginaba sentiría de la ciudad en la que había vivido hasta aquella noche. Como de costumbre me sucedía, mis sentimientos volvían a confrontarse.

—Haces bien —me dijo Suso—. Yo, en tu lugar, haría también lo mismo —y añadió, al ver que yo no le respondía—: Hay veces en la vida en que conviene huir de los sitios.

A nuestro lado pasaron dos chicos jóvenes, la chica con minifalda y él con el pelo rapado al cero, y me quedé mirándolos con envidia. ¡Qué no daría yo ahora por volver a ser como ellos!

No era envidia de su edad, sino de su indiferencia.

—El mundo huye de mí desde hace tiempo / Antes no lo veía o no me daba cuenta / El mundo huye de mí desde hace tiempo / como yo huyo de él desde hace años... —recitó, sin mirarme, Suso, como si me hubiera adivinado el pensamiento.

—¿De quién es? —le pregunté yo, por aquellos versos.

—Mío —me dijo Suso, llegando ya a la Gran Vía.

Nos despedimos allí mismo, en la esquina con la calle de Alcalá. Justo en el lugar exacto desde el que Antonio López pintó la calle durante años aprovechando el amanecer (más de una vez lo vi yo, cuando volvía a casa de retirada). Ahora, en la noche, el tráfico desdibujaba la perspectiva, pero, al mirarla, comprendí por qué el pintor la eligió para plasmar la esencia de la ciudad y quién sabe si la del mundo entero. En el punto de fuga de la calle, el que formaban con sus perfiles los edificios que había más cerca, la silueta de Madrid era tan bella que la ciudad parecía un inmenso cuadro.

—¡Bueno! —comenzó Suso la despedida—. Si te arrepientes, ya sabes dónde estoy.

—Tú también —le dije yo.

—No —me corrigió él, sonriendo—. Yo ya no sé dónde estás tú ahora.

De nuevo, Suso me dejó desconcertado. Como de costumbre, Suso volvió a dejarme sin palabras, tan acertada era su descripción de lo que yo sentía en aquel momento. Definitivamente —tenía que reconocerlo—, yo tampoco sabía dónde estaba, aunque tuviera muy claro que me quería ir de Madrid.

—Despídeme de la gente —le dije, empezando a andar.

—Lo haré —me respondió él.

Pero, hasta que lo perdí de vista, siguió mirándome caminar, como si quizá esperara que me fuera a arrepentir en el último momento.

Tercer círculo

EL PURGATORIO

«El camino más desierto, el más áspero entre
Lerici y Turbia, es, comparado con aquél,
una cuesta suave y ancha.»

DANTE ALIGHIERI
La Divina Comedia, Canto XXXVII

I

Fue como si me hubiera muerto. Como si de repente el mundo se hubiese detenido y dejase de girar en torno a mí.

Como cuando te sumerges en el mar o bajo el agua de un estanque, un gran silencio me rodeó y una sensación de paz sustituyó al ruido de la ciudad y al de la gente que día y noche zumbaba a mi alrededor. Era como si de pronto un nuevo orden viniera a suplir a aquél, un lenguaje diferente y más pausado que nombraba las cosas y a las personas de una manera distinta. Y eso que, todo el verano, el pueblo se llenó, como es costumbre, de madrileños ansiosos por disfrutar de la paz del campo, sin saber que ésta se basa precisamente en su lejanía.

Cuando se fueron, cuando por fin el otoño los devolvió a Madrid y a sus ambiciones y el pueblo recuperó la calma que había perdido durante algunos meses, fue cuando de verdad empecé a vivir la experiencia de estar fuera del mundo. Tras los días del verano y su ficción, la paz volvió a Miraflores, especialmente a las colonias de chalets que rodean el pueblo. La mía, que era de las más antiguas, se quedó casi vacía. La mayoría de los chalets pertenecían a las familias de siempre y éstas preferían ya otros lugares de veraneo, por lo que algunos ni siquiera se ocuparon unos días en verano. Solamente cuatro o cinco cuyos dueños vivían permanentemente en ellos (eran ya gente del pueblo) continuaron abiertos y con las luces encendidas por las noches cuando el otoño llegó a la sierra.

Fue una sensación extraña. Tras el ruido interminable del verano, que en mi caso se sumaba al que yo traía de Madrid, un silencio maduro y amarillo cayó sobre la colonia, al tiempo que los jardines comenzaban a amarillear o a volverse rojos, dependiendo de los árboles y arbustos que los poblaban desde hacía décadas. Porque todos eran ya bastante antiguos, venerables castaños y cipreses plantados antes de la guerra, cuyas huellas muchos de ellos conservaban todavía entre sus ramas. Y es que toda aquella zona, según me contó un vecino, había sido frente un tiempo, cuando las tropas de Franco cruzaron el Guadarrama.

Pero ahora aquella guerra quedaba ya muy lejos de la sierra y de aquel pueblo. Tan lejos como Madrid, cuyo zumbido sonaba ya en sordina en mis oídos, aplastado por la paz de aquel otoño y borrado por los trinos de los pájaros serranos. Que eran los dueños de los jardines ahora, a falta de gente que los molestara.

En el mío, por ejemplo, vivían cientos de ellos. Amparados en la paz de su abandono, que yo apenas arreglé más que lo imprescindible (me gustaba verlo así: casi salvaje), cantaban día y noche sin cesar, como recuerdo hacían también en el jardín de la plaza de las Salesas. Pero allí apenas se los oía. Había que ponerse a escucharlos expresamente para distinguir sus trinos entre el ruido de los coches y las motos que circulaban continuamente en torno a la plaza; justo todo lo contrario de lo que ocurría en la sierra, donde, aunque quisieras dejar de oírlos, seguías oyendo sus trinos, como sucedía en Madrid con el ruido de los coches y las motos.

Y lo mismo pasaba con los árboles. Agitados por la brisa o sacudidos por el viento que bajaba algunos días de la sierra, su sonido era tan dulce como el de los propios pájaros. Por eso no molestaba. Al contrario, hasta se agradecía a veces, tan rotundo era el silencio en la colonia y en el pueblo. Especialmente por las noches, que era cuando yo pintaba.

Solía hacerlo hasta tarde. En la galería de arriba, una habitación enorme que en su origen había sido de los niños (en el tiempo en que los hubo) y que yo convertí en estudio por su tamaño y su buena luz. Aparte de dar al norte, que siempre es la luz más pura, tenía una galería que la tamizaba un poco.

Por el día, dormía hasta muy tarde. Apenas conocía a nadie, ni tenía interés en hacerlo, al menos por el momento, y como solía acostarme de madrugada, aprovechaba el día para dormir, a veces hasta ya bien entrado el mediodía. Luego, comía cualquier cosa (a esa hora, como es lógico, apenas tenía apetito) y me sentaba a leer un rato debajo de los cipreses o me ponía a limpiar la casa. En verano ni siquiera salía apenas de ésta. Solamente para hacer alguna compra o para perderme por los pinares de alrededor. No quería encontrarme con la gente, y menos con los veraneantes. Al contrario: huía de ellos como de la misma peste. Pero, cuando éstos se fueron, a partir del mes de agosto y, sobre todo, ya en septiembre y en octubre, comencé a frecuentar los bares y a los vecinos de Miraflores, intuyendo que éstos nada tenían que ver con los madrileños, que hacían de su presencia una continua muestra de ostentación. Justo aquello de lo que yo venía huyendo, más que de Madrid en sí.

Y es que Madrid seguía dentro de mí, por más que yo la hubiese abandonado hacía ya meses. Tantos años recorriéndola, tanto tiempo habitándola y viviéndola, que son dos cosas distintas por más que a más de uno le parezca que es lo mismo, que difícilmente podía olvidarme de ella, aunque de ninguna forma quería volver a necesitarla. Al menos por el momento.

Había quedado cansado. Como cuando, después de comer, uno queda harto de todo, incluso siente náuseas y ganas de vomitar, de tanto como ha comido, así había quedado yo de Madrid y de la vida que había llevado aquellos últimos años. Por eso necesitaba tanto de aquel silencio, de aquella paz que la sierra, con su otoño melancólico y brumoso, depositaba como una sábana sobre mi corazón cansado.

Las tardes eran casi una medicina. Más cortas que en el verano, pero más delicadas y serenas, se llenaban de olores y de sonidos que quizá habían estado siempre presentes, pero que sólo ahora percibía: el olor del espliego y el del tomillo, el de los piñones rotos, el de la fruta que se pudría, sin nadie que la cogiera, en algunos árboles. Sólo el olor a humo de leña que, cuando hacía más frío, llegaba al atardecer desde las aldeas era extraño y novedoso para mí, aquel primer otoño en Miraflores. Me recordaba al del pueblo de mis abuelos, pero, a la vez, era diferente. El de mis abuelos olía a eucalipto, que era la leña que allí quemaban habitualmente, y el de Miraflores olía a encina, que era mucho más compacto, incluso para el olfato.

Me gustaba sentirlo al volver a casa. Cuando, al atardecer, regresaba de mis paseos, que daba siempre solo hasta que apareció Lutero, me invadía de repente al llegar cerca del pueblo, haciéndome aún más amable y grata la vuelta a él. Porque en mi casa ardía la misma leña. Aunque tenía calefacción (antigua y ya poco práctica: se alimentaba a base de carbón), me gustaba encender la chimenea, más que nada por el olor a encina que desprendía.

Es verdad que la lumbre acompaña a veces tanto como las personas. Lo comprendí aquel otoño y los que le sucedieron, que fueron tres en total, junto con sus inviernos. Cuando caía la noche y la gente se encerraba en sus casas y chalets a ver la televisión hasta el momento de irse a dormir, en la mía sólo la chimenea me hacía compañía entonces, puesto que ni siquiera tenía televisión. Ni quería tenerla por el momento. Decidido a cortar con todo, ni siquiera leía el periódico, salvo de tarde en tarde en el bar, cuando iba a tomar café. Me daba igual lo que sucediera. Así que la chimenea, con su lengua misteriosa y radical, con su llama siempre idéntica y cambiante, se convirtió en mi única compañía, junto con mis pensamientos y con la música que sonaba día y noche en el tocadiscos.

Sonaba mientras pintaba, mientras leía en la galería, mientras, después de comer, me tumbaba a dormir la siesta bajo un ciprés del jardín, o en el sofá del salón de abajo, las tardes que ya hacía frío. Solía poner canciones de los sesenta y, por la noche, música clásica. Aquéllas me transportaban lejos del tiempo en que ahora vivía y ésta me acompañaba, mientras pintaba durante horas, sin molestar a mis pensamientos. Al contrario, conduciéndolos a veces con la suavidad de un ángel por caminos invisibles para el ojo e inaccesibles para mi imaginación. Desde entonces, siempre la escucho mientras trabajo, aunque a veces ponga la radio, cuando me siento más solo o triste de lo normal.

Pero, en aquel otoño, el primero que pasaba en Miraflores, me sentía más fuerte y feliz que nunca. Convencido de que había hecho lo que debía, lo mejor para mí y para mi obra, me sentía feliz en mi soledad, que veía como un regalo y no como un castigo, como hasta entonces. Todavía no conocía el verdadero poder de erosión de aquélla, ni el cansancio que el silencio produce a veces en las personas. Al contrario, creía que ambos eran para mí entonces, además de un privilegio, una fuente de energía para mi trabajo como pintor. Lo confirmaba la intensidad con la que pintaba ahora y la propia producción, que desde que vivía en la sierra había aumentado sustancialmente. Cuando antes necesitaba un mes o dos para cada cuadro, ahora me bastaba con la mitad de ese tiempo. No es extraño, por ello, que aquel año pintara más que los anteriores, cosa que me permitió, incluso, cuando los llevé a Madrid, cumplir con todos los compromisos que había adquirido, tanto con la galería como con particulares.

II

El invierno fue más duro, pero lo pasé también. Se me hizo largo al final, pero logré pasar, si bien el frío y la oscuridad me hicieron tomar conciencia de cuán largo es el invierno y qué duro es en los pueblos de la sierra.

No es que no lo supiera ya. Al contrario, lo sabía desde que, cuando era pequeño, acudía con mis padres al pueblo de mis abuelos por Navidad y veía con cuánto esfuerzo la gente sobrevivía a una climatología adversa. Porque una cosa es el verano, cuando la naturaleza es bella y los días parecen no terminarse nunca, y otra distinta el invierno, cuando a la melancolía y al silencio del otoño se unen el frío y la nieve y las noches se dilatan hasta hacerse interminables. Largas noches invernales que comienzan casi a las seis y que se extienden como una negra sábana sobre los montes y los caminos, haciéndolos todavía más solitarios y misteriosos. Solamente las luces de los pueblos, como luciérnagas en la oscuridad, se veían desde la galería en dirección a Madrid y a la tierra llana.

Yo echaba leña a la chimenea, pero ésta no acababa de calentar del todo la casa. Era como si el frío ambiente estuviera agarrado a ella, como si la oscuridad de fuera penetrara por su boca como el lobo de los cuentos, trayendo todo el temblor de la sierra. A través de las ventanas, yo miraba los árboles desnudos y su sola visión me daba frío. Porque era un frío tangible, un frío blanco y compacto que emanaba de la tierra y de los troncos de los árboles y trepaba por la casa como la hiedra en la primavera. Por eso era tan difícil conseguir librarse de él. Por eso y porque, en mi caso, el frío estaba dentro de mí también, puesto que estaba solo, completamente solo en aquel chalet.

Al principio, ya digo, la soledad no sólo no me asustaba, sino que la consideraba casi un privilegio. ¡Tanto tiempo sin poder estar a solas más que cuando dormía! Pero, en invierno, cuando comenzó a hacer frío, la soledad comenzó a pesarme. Tantas horas en silencio, con la oscuridad fuera, sin ver a nadie ni hablar con nadie, salvo el hombre de la tienda o el panadero, me empezaron a pesar y a erosionarme, ligeramente al principio y luego ya con intensidad. Porque, durante muchos días, ni siquiera podía pasear como hasta entonces. Aquellos largos paseos entre los pinos que tanto me consolaban y me gustaba dar al principio se convirtieron en el invierno en auténticas odiseas. Especialmente cuando llovía y los montes y caminos se embarraban por completo durante días e incluso meses.

Cuando nevaba, en cambio, era incluso hasta agradable poder pasear por ellos. Provisto de buenas botas y abrigado hasta las cejas (el viento cortaba el aire y hasta la respiración a veces), caminar sobre la nieve era un ejercicio lleno de sensaciones; sobre todo cuando aquélla estaba virgen, por reciente o por inaccesible. La de la carretera, en cambio, en seguida se volvía un barrizal a causa de los turistas que venían con sus hijos a deslizarse por ella con sus trineos, cosa que hacían continuamente y por todas partes. En esos días, yo me escondía en mi casa. Como me ocurría en verano, no quería verlos ni oírlos hablar de sus ilusiones y sus problemas, tan anodinos.

Con los vecinos de Miraflores, por el contrario, me gustaba charlar a veces. Con algunos de ellos al menos. En los bares de la plaza, donde se congregaban a todas horas, especialmente los jubilados, o por los campos de alrededor, cuando me los encontraba en el curso de mis paseos, me gustaba hablar con ellos, sobre todo con los que habían vivido siempre en el pueblo. Porque eran los más interesantes. Los otros, los que habían emigrado y vuelto o los que trabajaban fuera, en Madrid, estaban contaminados por la forma de vida de la ciudad y me interesaban menos.

Sobre todo había un par de ellos con los que me gustaba hablar. Uno era el panadero, al que veía prácticamente todos los días, y otro era José Luis, uno de los ganaderos que todavía quedaban en Miraflores. Tenía más de cien vacas que pastaban libremente por el monte todo el año. Tanto uno como otro en seguida trabaron relación conmigo. Aun sin saber qué hacía yo en Miraflores, ni por qué me había ido a vivir allí, trabaron cierta relación conmigo, relación que iba más allá de las simples palabras de cortesía o de saludo de los demás vecinos.

Ni uno ni otro me preguntaron nunca a qué me dedicaba ni de qué vivía realmente. Al contrario que muchos de sus vecinos, que comentaban distintas cosas de mí (ninguna de ellas muy positiva, por cierto), ni el panadero ni José Luis me preguntaron nunca qué hacía en su pueblo ni a qué me dedicaba, si es que me dedicaba a algo. Los dos debían de pensar que, si yo hubiese querido que lo supieran, ya se lo habría dicho hacía tiempo. Así que se limitaban a hablarme de ellos, y de la historia de Miraflores, que era lo que yo quería. Gracias a José Luis, por ejemplo, supe la del chalet en el que vivía, que era más larga de lo que cabía pensar.

Al parecer, aquella colonia, como llamaban en Miraflores a los chalets de la carretera que lleva al puerto de La Morcuera, la habían construido familias adineradas de Madrid en los años de la República. Cuando comenzó la guerra, la mayoría de ellas huyeron y los chalets fueron requisados, sirviendo de hospitales de sangre a los soldados que defendían la sierra del Guadarrama por aquel lado. Por fin, cuando terminó la guerra, los chalets revirtieron a sus antiguos dueños —los que habían sido afines al bando vencedor, que eran la mayoría de ellos—, mientras que los de los que pertenecían al bando republicano fueron tomados como botín y entregados a personas que habían destacado en su colaboración con el nuevo régimen. El mío fue uno de ellos. Su actual dueña, me dijo el panadero cuando ya nos conocíamos un poco, era la hija de un militar franquista que se adueñó del chalet en aquel entonces, aprovechando que sus dueños se habían exiliado en Francia.

El descubrimiento de aquella historia (que se completaría pronto con la del propio pueblo) me hizo pensar en lo desconocida que es muchas veces la de los sitios en que vivimos. Pasamos en un piso varios años, nos mudamos de casa y cambiamos de una a otra varias veces sin saber quién vivió allí antes que nosotros ni qué cosas sucedieron en el lugar en que ahora dormimos o en el cuarto en el que trabajamos. Yo mismo, si recordaba las casas en las que había vivido, no podía contar nada de ellas, salvo sus características físicas y arquitectónicas, excepción hecha de la de mis abuelos de Asturias, que, como el chalet en que ahora vivía, también estaba llena de historias de la guerra. Las demás, incluida la de mis padres, en Gijón, donde pasé mi infancia y mi adolescencia, no eran más que unas paredes mejor o peor pintadas y unas habitaciones más grandes o más pequeñas, pero habitaciones al fin y al cabo.

Ahora sabía, sin embargo, que las casas tienen su historia. Como nosotros. Y que, a veces, esa historia planea largamente sobre ellas, como le sucedía al chalet en que yo vivía desde que dejé Madrid. Aunque algo ya había imaginado por mi cuenta. Tanto tiempo vacío y sin abrirse, tan grande y sobrio a la vez, todo me hacía pensar en cómo serían sus dueños, que suponía habrían de ser los descendientes de los que lo construyeron en los años treinta. Seguramente serían, pensaba cuando llegué, una familia de ricachones a los que les sobrarían las casas como ésa (por eso no venían nunca) o, al contrario, una familia venida a menos que apenas si podía ya mantener sus gastos. Por eso me lo habría alquilado a mí, entre otras muchas razones. Pero lo que nunca se me había ocurrido era pensar que su dueña (a la que nunca había visto ni vería) lo fuera por apropiación injusta, por mucho que figurara a su nombre en los documentos.

De los antiguos dueños, en cambio, José Luis no recordaba ya nada. Le sonaba que eran médicos, pero no podía asegurarlo. ¡Había pasado ya tanto tiempo! Lo único que sabía, como otra gente del pueblo, es que nunca volvieron por Miraflores, lo que les hacía pensar que habrían muerto. O que seguían viviendo en Francia.

Pero ¿y sus hijos? ¿Qué habría sido de aquellos niños que un día jugaron en la galería, la que yo utilizaba ahora para pintar? ¿Vivirían o habrían muerto también? Y, si vivían, ¿por qué no habían vuelto a reclamar lo que era suyo, como habían hecho otros a raíz de la muerte del dictador? Estas preguntas y otras me hacía yo aquel invierno mientras pintaba en la noche acompañado solamente por la música o la radio y por el viento que batía fuera contra las ramas de los cipreses. La chimenea crepitaba en el salón y la calefacción caldeaba a duras penas la casa, pero el frío se colaba por todas las rendijas como si fuera un fantasma helado. Un fantasma que venía a despertar a los de dentro, aquellos que habitaron el chalet mientras permaneció cerrado y que ahora volvían a revivir, aunque yo no los viera nunca. La primera vez que vino Suso me lo dijo: todas las casas tienen secretos; somos nosotros los que les damos vida.

Me gustó aquella idea de Suso, aunque sin duda la improvisó, como de costumbre. Me gustó aquella idea de Suso de que la casa tuviera sus fantasmas hibernados o dormidos desde siempre y que fuera yo, al habitarla, el que les diera vida de nuevo. No es que creyera que los fantasmas existían de verdad; es que me habría gustado que existieran. Así sabría, entre otras muchas cosas, lo que había pasado con los primitivos dueños, y dónde estaban ahora, y si se acordarían todavía de ella. Y lo mismo respecto de los que la usurparon: ¿qué habría sido del coronel franquista? ¿Cómo sería su hija? ¿Por qué habría abandonado la casa durante tanto tiempo?

A la historia de la casa se unió la de Miraflores. Me la contó el panadero, que estaba muy orgulloso de haber nacido en el pueblo. Era la misma historia de todos los de la sierra, pero a aquél le parecía de lo más original. Sobre todo cuando contaba cómo el pueblo había pasado de ser un centro de ganaderos que llevaban cada día la leche hasta Madrid para venderla en casa o en las vaquerías a ser la capital del veraneo madrileño en la posguerra. Algo que yo comprendía que a sus vecinos les pareciera digno de orgullo, y aun de satisfacción y felicidad, puesto que para ellos la influencia de Madrid era vital. No en vano seguían viviendo de sus vecinos, como sus antepasados cuando iban a vender leche.

Para mí, en cambio, que venía huyendo de Madrid, ésta era un simple brillo en la noche, un resplandor tembloroso, un ruido sordo y lejano que, aunque inaudible desde la sierra, seguía sonando en mis oídos a pesar de los meses que llevaba ya viviendo lejos de ella. Pronto haría un año, aunque me pareciera menos.

III

De lo que allí ocurría, de hecho, apenas sabía ya nada. Solamente las noticias que leía en el periódico (o escuchaba por la radio algunas noches) y las que me traían mis amigos cuando venían a verme de tarde en tarde. Pocos, puesto que pocos eran los que sabían dónde había ido a vivir.

El que más venía era Suso. Vino, primero, por el verano, para ver cómo era el chalet, y volvió luego por el invierno, para ver si seguía vivo, según dijo. Le pareció un buen sitio para pintar, pero demasiado aislado. Él sería incapaz, me dijo, de vivir más de un mes en aquel lugar.

Vino también una vez Corine, la dueña de la galería. Con David, su nuevo amante, mucho más joven que ella. Estuvieron viendo la obra que había pintado en aquellos meses. Era lo único que les interesaba. De hecho, ni siquiera les invité a quedarse, como hacía con todos mis amigos. Con Rosa Ramos, por ejemplo, con la que terminé acostándome el día en que vino a verme.

Nunca lo habría imaginado. La conocía desde hacía años, desde que llegué a Madrid (ella acababa de llegar también por entonces), y durante mucho tiempo compartimos pisos y amigos, además de otras muchas cosas.

Principalmente nuestro trabajo, puesto que éramos los dos únicos pintores de aquel grupo. Pero nunca se me pasó por la imaginación siquiera que me llegaría a acostar con ella. Primero, porque, al principio, cuando podía haber ocurrido, los dos teníamos ya pareja y, después, porque los dos nos habíamos hecho ya tan amigos que cualquier otra relación nos habría parecido casi un incesto. Pero, el día en que vino a verme, las circunstancias propiciaron aquel encuentro. Me debió de ver tan solo que quizá se apiadó de mí.

En realidad, era lo único que yo echaba de menos de Madrid: el sexo. En Miraflores, las posibilidades de acceder a él eran tan remotas que ni siquiera me las planteaba. Prefería dejarlo para cuando iba a Madrid, cosa que hacía cada vez menos.

Y es que bajar a Madrid me producía una sensación muy rara. Por una parte, me apetecía, más que nada por ver a los amigos como Suso, pero, por otra, me recordaba la sensación de hastío y de aburrimiento que me había llevado a marcharme. Así que mis visitas solían ser muy rápidas. Pasaba por La Mandrágora para dejar los cuadros que había pintado desde la última, veía a algún amigo y alguna exposición que hubiese en aquel momento y en seguida regresaba a Miraflores, habitualmente en el mismo día. Aunque, a veces, ya al final, me quedaba en casa de alguna amiga que todavía estuviera dispuesta a compartir conmigo su cama y su soledad. María Luisa, por ejemplo, o Bárbara, la francesa.

Pero prefería que fueran ellas las que subieran a verme a mí. Prefería que subieran y se quedaran allí unos días, para no sentirme tan solo como me sentía a veces. Especialmente por las noches, cuando no podía pintar.

Porque, cuando me sentía muy solo, me costaba mucho pintar. Me ponía frente al lienzo, con la música o la radio encendidas como siempre, pero el silencio que había fuera se superponía a ellas. Entonces, yo me asomaba a la galería y miraba los chalets que tenía enfrente, todos cerrados o abandonados como en el resto de las colonias, y me invadía la sensación de estar también cerrado y olvidado para el mundo, como ellos. Y en cierto modo lo estaba. Después de casi un año viviendo en aquel lugar, después de un largo invierno de aislamiento y soledad casi completos (el primero que pasaba de esa forma), después de tanto silencio y de tantas noches pintando, sentía que todo aquello comenzaba ya a pesarme levemente. El entusiasmo de los primeros meses había desaparecido y, en su lugar, quedaba ahora una costumbre que se convertía en rutina, como siempre sucede en esos casos. Por eso, algunas noches, cuando me ponía a pintar, la soledad y el silencio, más que ayudarme a ello, se convertían en dos puñales que se clavaban en mi cabeza.

Esas noches, que al principio fueron pocas, pero que, el segundo invierno, comenzaron ya a repetirse, era cuando echaba en falta la compañía de aquellas mujeres que, cuando vivía en Madrid, estaban siempre dispuestas a compartir conmigo su soledad. Pero ahora lo tenía más difícil para verlas. Sobre el mapa, Miraflores estaba cerca de Madrid, pero sobre el terreno aquella distancia se multiplicaba por cuatro o cinco. Me pasaba a mí mismo, que cada vez me sentía más lejos, cuánto más a mis amigos, que seguían viviendo como yo antes y sólo concebían salir de la ciudad un par de veces, una en invierno, para ver y pisar la nieve, y otra en verano, para pasar un día de campo. Un día de campo que normalmente consistía en comer en cualquier pueblo o restaurante de la sierra, dar un paseo por sus alrededores y volver a Madrid a toda prisa para no verse sorprendidos por el atasco de los domingueros.

Yo pensaba que ahora, con mi presencia en la sierra, esa actitud cambiaría y su tradicional resistencia a dejar Madrid se quebraría y vendrían a verme. Pero ni mucho menos ocurrió de esa manera. Ni siquiera al principio, cuando la novedad de mi decisión podía haberles hecho interesarse un poco, más que por mí, por conocer el sitio en que ahora vivía. La mayoría ni siquiera vinieron a conocerlo, cosa que en un principio no me importó (al contrario, casi hasta lo agradecí), pero que, a medida que fue pasando el tiempo y la soledad empezó a pesarme, lo tomé como una traición. Sobre todo en el caso de aquellos que, como Luca, mientras yo vivía en Madrid, estaban siempre en mi casa. Y lo mismo podía decir de aquellas mujeres que me perseguían a todas horas cuando yo vivía en la ciudad.

Fue irme de Madrid y olvidarse de mí justo al instante. Cierto que algunas de ellas me siguieron llamando durante un tiempo, sin saber que me había ido o sin acabar de creer del todo que fuera cierto, y que a alguna seguí viéndola y tratándola cuando bajaba a Madrid de visita. Pero la mayoría desaparecieron, interesadas más ya por otros. Con mi huida a Miraflores, yo había dado, al parecer, una impresión de debilidad que a mucha gente le decepcionó. Se ha hecho mayor, comentaron, cuando supieron que me había ido.

Como es lógico, a mí me importó muy poco lo que de mí pudiera decir la gente. Nunca me había importado, así que menos me iba a afectar ahora. Estaba ya tan harto de Madrid, estaba tan cansado de la vida que había llevado durante años que me daba lo mismo todo lo que de mí pudiera decir o pensar la gente. Pero ahora, que empezaba a sentirme un poco solo, ahora que algunas noches la soledad comenzaba a pesarme ya hasta el punto de que a veces impedía hasta pintar, necesitaba saber que seguía teniendo amigos, cosa que ya comenzaba a poner en duda. Por eso aquellas visitas que, en los primeros tiempos, me resultaban indiferentes, ahora se habían convertido en una necesidad para mí.

Pero, cuanto más las necesitaba, en menor número se producían. Cuantas más señales enviaba de que cualquier visita sería bien recibida, menos respuestas recibía, de quienes más las esperaba y deseaba por lo menos. Como si de repente me hubiese convertido en un fantasma, en un nombre sin un cuerpo detrás, la gente se empezó a olvidar de mí, como, por otra parte, si soy sincero, yo ya esperaba. Fue cuando comprendí que mi decisión, aquella decisión tan radical que tomé en un momento muy concreto de mi vida, era más dura de lo que yo pensaba y me iba a exigir más fuerzas de las que quizá tenía. Porque aquel retiro en la sierra no era una vuelta al limbo, como creí. Aquel retiro en la sierra, en aquel viejo chalet que se asomaba al puerto de La Morcuera y al Guadarrama, no era un remanso de paz, como también creía al principio (y como seguían pensando quizá algunos de mis amigos, que sólo lo conocían de visita), sino un duro purgatorio personal. Un purgatorio interior seguramente necesario para llegar a alcanzar el cielo, pero que, de momento al menos, se parecía más al infierno que al paraíso, aunque, desde fuera, seguramente, la mayoría de mis amigos lo vieran justo al revés.

IV

Y es que, mientras yo seguía allí solo, mientras yo luchaba a solas contra el frío y los fantasmas por la noche y por el día dormía o paseaba durante horas (desde hacía ya algún tiempo, en compañía de Lutero, el perro que muy pronto será tuyo también), mi nombre seguía sonando y mi popularidad creciendo entre los aficionados a la pintura y al arte de toda España. Ahora, incluso, más que antes, merced al alejamiento en el que vivía y al misterio que me daba, al parecer, mi retiro voluntario en Miraflores.

Es cierto que la distancia contribuye a adornar la imagen y hasta la obra de los que se alejan. A mí me sucedió en aquella época, aunque yo no lo buscara de propósito. Al revés, si algo buscaba era la paz que necesitaba para poder vivir y pintar tranquilo. Después de años viviendo en el centro del volcán de la ciudad, después de años pintando como si fuera la última vez que lo hacía, después, en fin, de todo aquel tiempo en el que mi pintura y mi vida se empujaban una a otra, incluso en sentido opuesto, yo lo que buscaba ahora era la paz de la adolescencia, cuando pintaba sin pensar que alguien iba a analizar lo que pintaba y mucho menos a criticarlo.

Algo que deseé cuando no lo tuve, pero que, cuando lo tuve, me comenzó a pesar, como pasa siempre.

Pero, aunque encontré la paz (al menos, el primer año), mi retiro en Miraflores produjo un segundo efecto con el que yo no había contado al irme a vivir allí. Y ese efecto no fue otro que el de darme una aureola de misterio que derivaba precisamente de mi silencio y que fue en aumento con el tiempo, pese a que yo tardé en percibirlo. Porque, encerrado en aquel pueblo de la sierra, sin ver a nadie ni hablar casi con nadie, lo que de mí decía la prensa era algo en lo que yo ni siquiera pensaba entonces. Cierto que algo sabía por mis amigos, los que venían a verme y los que veía yo cuando bajaba a Madrid, pero, por lo general, vivía ajeno por completo a lo que de mí decían los periódicos y las revistas especializadas. Que, por otra parte, siempre necesitan algo que anime un poco sus reportajes.

Yo me convertí, por ello, en un pintor *especial.* No por lo que pintaba, que era lo mismo de siempre (quizá un poco más abstracto últimamente), sino por aquel misterio que, al parecer, le daba a mi obra mi retiro voluntario y mi huida de Madrid. Quien más, quien menos, todos veían en ellos una intención estratégica, si no ideológica y hasta simbólica, que cada uno interpretaba a su voluntad. Según unos, se trataba de una huida hacia delante, hacia la pintura pura que, al parecer, todo artista busca y, según otros, era un retorno al pasado, hacia el arte como expresión primigenia y, por lo tanto, incontaminada. Para unos, mi retiro en Miraflores era un reto personal que yo mismo me había impuesto y que difícilmente podría cumplir (estaba demasiado acostumbrado a la ciudad, consideraban) y, para otros, era un fracaso, una reacción freudiana que delataba, entre otros problemas, mi inconsistencia y mi inmadurez. El caso es que todo el mundo tenía una interpretación que dar a mi decisión de dejar Madrid.

El único que no la tenía era yo precisamente. Desconcertado por todo aquello que de mí decían los periódicos, desgastado por el peso de mi primer invierno en la sierra, que fue largo y muy oscuro, como he dicho, yo era el único, parece, que desconocía mis intenciones tanto al abandonar Madrid como al perseverar en mi decisión. Porque pasaban los meses y yo seguía en la sierra. Se acercaba ya el verano, el segundo que pasaba en Miraflores (el anterior ni siquiera había ido a Gijón), y yo seguía en mi sitio, aferrado a mi pintura y a Lutero, que era mi compañero de purgatorio desde hacía meses. Lo había adoptado en la primavera, cuando apareció por casa buscando algo que comer (lo debían de haber abandonado en los pinares), y se quedó conmigo para siempre, aunque tardó en aceptarme como su dueño. Seguramente esperaba que volviera todavía el anterior, aquel que lo abandonó o que lo perdió, quién sabe. El caso es que Lutero, como lo bauticé por segunda vez a falta de saber su nombre auténtico, tardó tiempo en aceptarme como dueño y, cuando por fin lo hizo, lo hizo marcando distancias. Se veía que era un perro con carácter, pese a que, como yo, estuviera solo en aquel lugar.

La soledad nos unió, por tanto. La soledad me unió a aquel perrillo de la misma manera en que a él a mí y de la misma forma en que, hacía ya años, a mí me unió a aquellos jóvenes que, como yo, llegaban a Madrid procedentes cada uno de una ciudad diferente, decididos a conquistar el cielo. Ahora, yo no quería otro cielo que la tranquilidad que me permitiera poder vivir y pintar en paz. Pero, desgraciadamente, las dos cosas a la vez son imposibles. Ya lo había intuido el primer año, cuando recalé en la sierra, pero cada vez me daba más cuenta. Sobre todo a medida que el buen tiempo y el verano se acercaban y, con él, la vida a la sierra: vivir y pintar en paz es imposible a la vez. Es la eterna paradoja del artista que yo ya había conocido cuando vivía con Julia y con Eva y que se venía a sumar a otras paradojas que también conocía desde hacía mucho: la que enfrenta la libertad con la seguridad, la que confronta el amor y la independencia, la que antepone la soledad a la compañía y al revés... Pero todo eso lo había experimentado en circunstancias completamente distintas a las de ahora. La desazón de la soledad la había vivido estando con gente, la de la pérdida del amor cuando ya comenzaba otro, la de la precariedad del tiempo sumido en plena vorágine. Ahora, en cambio, por primera vez en mi vida, vivía esas paradojas sin tener nadie a mi lado. Solamente aquel perrillo que me observaba durante horas mientras pintaba en la galería con ese gesto aburrido de quien piensa que estás loco o que acabarás estándolo como sigas haciendo mucho tiempo lo que haces.

Si lo pensaba en verdad, Lutero estaba en lo cierto. Si aquel perro pensaba que mi vida no tenía ningún sentido, allí solo en aquel pueblo y pintando sin cesar, se adelantaba a las convicciones que yo tardaría aún tiempo en descubrir por mi propia cuenta. Y es que, como ocurre, dicen, con las tormentas, que los perros barruntan siempre antes que los hombres, o con la muerte, que olfatean con horas, incluso días, de antelación, Lutero estaba ya anticipándose, si es que de verdad lo hacía, a mis propias convicciones personales. Convicciones que yo tardaría aún un tiempo en aceptar y asumir del todo, por cuanto aquel verano todavía tenía fuerzas para apechar con la soledad.

El problema vino a partir del siguiente invierno. Fue parecido al del primer año, aunque nevara bastante menos, pero yo ya no era el mismo de cuando llegué a la sierra. Aunque seguía convencido de que mi decisión de dejar Madrid había sido la mejor y pensaba mantenerla todavía mucho tiempo, yo ya no era el del principio, cuando llegué a Miraflores buscando un lugar tranquilo en el que poder vivir y pintar en paz. Un año de soledad, de alejamiento de mis amigos, de silencio y abandono generales había minado mis fuerzas y me había hecho entrever que el paso que había dado era más serio de lo que yo creía. Por eso ahora, a las puertas de otro invierno largo y frío, con otro largo rosario de semanas y de meses por delante, comenzaba a entender que aquél, por más que fuera buscado, exigía más fuerzas para afrontarlo de las que quizá yo tenía ya. Las que yo tenía al llegar me las daban más el miedo y la necesidad de huir de mi antigua vida que las verdaderas ganas de vivir en aquel lugar. Y ésas se terminan pronto, como el rencor o como la ira, al revés que las que nacen de la auténtica convicción.

Por eso, aquel invierno, al revés que el anterior, que me pareció hasta hermoso, al margen de que fuera frío y largo como todos, se me presentó de golpe y cayó sobre mí como una losa tan difícil como el tiempo de aguantar sin nadie al lado y tan gris como las nieblas que volvían a caer sobre la sierra. Esas nieblas invisibles y cerradas, como guedejas de lana de un gran rebaño prehistórico, que se agarran a los montes y a las ramas de los pinos y que parece que no van a levantarse ya nunca más.

V

Como yo muchas mañanas. En especial las del mes de enero, que me parecían más frías aún que las de diciembre.

Era a la vuelta de las Navidades, al regreso del viaje que hice a Gijón para pasarlas, como hacía siempre, con mi familia; es decir: con mi madre y con las de mis hermanos. Que se habían casado ya y tenían varios hijos cada uno.

Como siempre, volví de allí muy confuso. Por una parte, es verdad, me gustaba volver a verlos, sobre todo a mi madre, que ya empezaba a ser vieja, pero, por otra, cada visita me suponía una decepción por cuanto el tiempo, que es implacable, me hacía sentir cada vez más lejos de ellos, especialmente de mis hermanos, que, como mis amigos, tenían sus propias familias y ya no eran tan libres para quedar conmigo como quisieran. Al contrario: a algunos de aquéllos ni siquiera pude verlos, puesto que estaban pasando las Navidades con las familias de sus mujeres fuera de Asturias.

Volví, pues, un tanto triste, con la impresión de ser cada vez más extraño en mi ciudad. Una ciudad que seguía cambiando y que cada vez sentía más ajena. ¿Sería verdad aquello que leí alguna vez de que, en la tierra de nuestra infancia, todos somos extranjeros sin remedio?

Yo lo era ya en todas partes. En Gijón, donde apenas me quedaba algún amigo, y en Oviedo, porque de mi época de estudiante no quedaba ya nadie conocido. En Madrid, porque, desde que me fui a vivir a la sierra, la gente empezó a olvidarme, y en Miraflores, porque nunca me integré, ni lo intenté, en la vida de sus vecinos. Así que era un forastero en todos los sitios: en el que vivía ahora y en los que había dejado atrás; en los que había vivido más tiempo y en los que había vivido menos, como en Oviedo. Incluso me atrevería a decir que, a más tiempo, más sensación de ser extraño tenía. Es esa sensación de estar de paso que tiene más que ver con la percepción que con la naturaleza propia o de los lugares.

En mi caso, estaba claro. En Gijón me sentía un extraño más por lo que había vivido que por lo que había dejado al marchar de allí. En Oviedo, por la erosión del paso del tiempo. Y en Madrid, que era donde había vivido más tiempo (y donde, en cierta manera, seguía viviendo aún, puesto que era mi referencia a pesar de todo), porque ya estaba muy lejos de lo que podía ofrecerme, que era lo mismo que había dejado al marcharme. Pero... ¿y en Miraflores? ¿Por qué me sentía un extraño también en aquel lugar si era donde vivía desde hacía ya un año y medio?

Precisamente por eso: porque llevaba ya un año y medio viviendo en aquel lugar. Y porque, a pesar de ello, nada me unía a su gente, por más que yo creyera al principio ingenuamente lo contrario. Lo había creído al llegar, cuando me recibieron como a uno más, habituados como estaban a vivir de los madrileños, y lo seguí creyendo después, cuando, después del otoño, me empezaron a tratar de otra manera, al ver que yo no me iba. Pero todo era una falacia. Lo era el respeto con que, al principio, mis vecinos de colonia acogieron mi presencia junto a ellos (también les interesaba) y lo fue, después, la hospitalidad que derrocharon cuando supieron que no era un vecino más; que era un pintor conocido, aunque no lo pareciera por mi aspecto. Por mi parte, la mentira era también evidente. Aunque aparentara serlo, yo no era un vecino más (ni quería serlo de ningún modo) y, aunque, por educación, les diera conversación y les saludara, no tenía nada que ver con ellos. Así que, aunque lo ocultara, me sentía tan ajeno a Miraflores como cuando llegué allí por primera vez.

La sensación de ser un extraño, de estar de paso en el pueblo, en lugar de remitir fue en aumento con el tiempo. Si el primer año pensaba que alguna vez llegaría, si no a integrarme del todo, que tampoco lo quería, sí a ser un vecino más, a medida que el tiempo fue transcurriendo, comencé, al revés, a entender que siempre sería un extraño; es decir: alguien llegado de fuera y del que lo único que se espera es que no interfiera mucho en los asuntos de la comunidad. Al fin y al cabo, ¿qué son diez meses, o un año, o media docena, en la vida de un pueblo, como Miraflores, con siglos de antigüedad?

Así que pronto entendí que yo allí era un forastero. Por mucho que me dijeran, por más que el panadero o mis vecinos de colonia me trataran con respeto, incluso con cierto orgullo cuando supieron que era un pintor famoso (se enteraron por la televisión), yo comprendí que era un forastero y que siempre lo sería para ellos. Aunque ése no era el problema. El problema no era que ellos, mis vecinos de colonia y aún los del pueblo, que eran más llanos, me consideraran un forastero, sino que yo me veía también así, puesto que nada tenía que ver con ellos. Que es una forma de extranjería más sutil, pero más cierta. Así que, poco a poco, asumí mi situación y, como el que se siente lejos, me fui encerrando en mí mismo, sin que aquéllos se dieran casi ni cuenta. Debían de pensar simplemente que era raro, todo el día encerrado en mi chalet, sin apenas contacto con la gente.

Además, ya sabían cuál era mi profesión. Una profesión que a ellos, como a mis padres cuando comencé a pintar, les debía de parecer cualquier cosa menos eso. Si acaso un divertimento para matar los ratos de aburrimiento, que allí, en la sierra, eran casi todos. Sobre todo en el invierno, cuando la lluvia y el frío encerraban a la gente en sus casas y en los bares, frente a la televisión o la chimenea, y yo ni siquiera salía entonces de la mía. Era cuando aquel lugar se me empezaba a caer encima, cuando los días se derretían como la nieve en la carretera y se fundían uno con otro sumiendo el mundo en un lienzo gris y a mí en una gran tristeza de la que cada vez me costaba más desembarazarme. Por eso, algunas mañanas, cuando me despertaba después de horas durmiendo, era incapaz de volver al mundo, que era una mancha apenas de niebla tras la ventana.

Esos días, ni siquiera la pintura era capaz de ponerme en pie. La que ya era mi único entretenimiento, la que constituía ahora mi única compañía junto con el fiel

Lutero (al que también le costaba levantarse muchos días de su sitio: una toalla extendida junto al fuego), la única actividad que me interesaba desde hacía mucho tampoco podía ya ayudarme a superar la depresión que me producía, al despertarme cada mañana, descubrir que el invierno seguía fuera, inmóvil con una mancha tras los cristales de la galería.

La pintura esas mañanas ni siquiera me servía ya como revulsivo. La que ya era desde hacía tiempo mi única compañía y mi profesión ni siquiera me servía esas mañanas para enfrentarme otra vez a un mundo que no existía para mí. Porque ése y no otro era mi problema: saber que lo que pintaba, lo que durante horas y horas imaginaba y creaba con ayuda de un pincel y unos colores, estaba destinado a unas personas que ni siquiera llegaría a conocer. Cierto que antes, cuando vivía en Madrid, tampoco las conocía, solamente eran fantasmas que se llevaban cuando no estaba mis cuadros de la galería (o, como mucho, en mi presencia, cuando coincidía con ellas), pero, ahora, su inexistencia era ya casi absoluta, por cuanto desde la sierra yo jamás vería sus caras, ni siquiera por la calle, como entonces, sin saber ni uno ni otros quiénes éramos. Ahora lo que estaba claro es que los compradores de mi pintura, los destinatarios de mi trabajo y de mi imaginación, ya no formaban parte de mi paisaje, mientras que los que sí lo hacían nunca los comprenderían. Lo cual me producía una indiferencia que iba en aumento con cada cuadro y que hacía que aquellos días, cuando el invierno y la soledad me saludaban juntos al despertarme, no encontrara el aliciente suficiente para ponerme en pie nuevamente y continuar pintando.

¿Para qué, pensaba yo esas mañanas, levantarse y ponerse a trabajar, si el resultado iba a ir a manos de unas personas que nunca iban a saber dónde se pintó ese cuadro, ni con qué luz ni en qué circunstancias, mientras que los que lo sabían, o deberían saberlo, puesto que me veían pintar cada noche, no mostraban la menor curiosidad por saber si lo que pintaba tenía algo que ver con ellos?

VI

Y lo tenía, vaya que si lo tenía. No en la temática, que era la misma de hacía ya tiempo (aquellos frutos inmóviles y aquellos bodegones de pintor tan misteriosos), sino en el cromatismo que dominaba mis cuadros últimamente.

Y es que el color de la sierra, la gama siempre cambiante tanto del perfil del cielo como de la tierra, abajo, se había metido ya en mi paleta, que absorbía aquéllos igual que yo. Cuando yo veía, al andar, el cambio de los colores en los pinares de Miraflores o, desde el puerto de La Morcuera, hasta el que llegaba a veces para alegría de Lutero, que debía de haberse extraviado allí y seguramente pensaba que iba a volver a ver a su dueño, en las montañas que flanqueaban el río Lozoya, esos colores se iban metiendo en mi alma del mismo modo que los sonidos y los olores que me llegaban, mientras miraba aquéllos, de todas partes. Por eso aparecían cuando me ponía a pintar, surgiendo de mi paleta como si fueran una elección y no una imposición de ésta. Fue cuando comencé a comprender, después de tanto color urbano (los verdes y negros fuertes con que pintaba en Gijón y Oviedo, los azules y los rosas de mis años en Madrid), aquello que también le escuché decir a alguien alguna vez de que el alma de un pintor es su paleta.

Si eso era así, y cada vez lo creía más cierto (de hecho, desde hacía años, había empezado a guardar algunas, tanto mías como de otros pintores amigos míos), mi alma estaba cambiando. Lo hacía, además, muy deprisa, sin estridencias, pero deprisa, empujada por la fuerza de mis cambios personales, sobre todo del más decisivo de todos ellos, que era el de mi residencia, y por la influencia en ella de un año y medio de silencio y soledad casi generales. Pues, si bien, durante un tiempo, algún amigo subía a verme desde Madrid, incluso alguna amiga se quedaba conmigo varios días (rompiendo así, entre otras cosas, mi involuntario ayuno sexual), poco a poco unos y otros se fueron olvidando de mi presencia en aquel chalet de la sierra. Hasta Suso, que fue el más fiel como siempre, se limitaba ya últimamente a llamarme por teléfono para ver cómo seguía, pues cada vez le daba más pereza subir a verme hasta Miraflores.

Así que la pintura era ya mi única amiga, además de mi profesión. Mi única amiga, mi única patria y hasta mi única compañía en aquellos días en los que la soledad y el frío se amalgamaban en una misma sustancia que adormecía mi alma y mi inspiración. Porque mi alma y mi inspiración eran ya la misma cosa. Sin apenas aventuras ni experiencias que contar a los demás, sin más acontecimientos que el del transcurso del propio tiempo, sin más pasiones que las vividas, mi alma y mi inspiración eran ya la misma cosa, como la nieve y el aire fuera. Ése fue el principal cambio, la principal transformación que mi pintura experimentó por aquella época.

Una transformación que se reflejó, primero, en mi paleta, que pasó a estar dominada por los grises, y, luego ya, en la temática, que, aun siendo igual que la de otros tiempos, comenzó a volverse más imprecisa. No tanto en su composición como en el trazo. Aquellos frutos maduros y aquellos cielos fantásticos que dominaron mis cuadros durante algunos años fueron borrándose poco a poco, como si lloviera en ellos lo mismo que en mi interior. Porque, desde hacía ya tiempo, ésa era la sensación que tenía: que llovía en mi interior lo mismo que lo hacía fuera y que esa lluvia afectaba también a mi propia obra. De ahí que aquellas paletas, de las que conservo algunas y que te enseñaré algún día, estén llenas de blancos y de grises, como el cielo de la sierra en el invierno.

Si la paleta es el alma y el verdadero yo del pintor, como creía el autor de aquel pensamiento, yo había cambiado mucho en aquellos meses. Si la paleta es su mejor cuadro, o por lo menos el más auténtico, por irracional y puro, como también sostienen algunos, yo había cambiado más en el poco tiempo, apenas un año y medio, que llevaba viviendo en Miraflores que en los últimos diez años en Madrid. Aquel pintor estresado, aquel hombre atormentado y angustiado por su éxito que había llegado a la sierra buscando paz para su pintura era ahora un hombre aterido y lleno de soledad que era incapaz de pintar en paz. Así que la paradoja se me producía de nuevo: cuando la gente me rodeaba, cuando los periodistas me atosigaban a todas horas, en casa y fuera de ella, buscando alguna noticia o algo que poder contar, no podía pintar por eso y, ahora que estaba allí solo, no podía pintar tampoco porque la soledad me paralizaba.

De ahí que aquellas mañanas, cuando me despertaba después de unas cuantas horas, a veces en el sofá en el que me había quedado dormido sin darme cuenta, y veía a través de las ventanas la niebla borrando el pueblo me costara tanto volver a la realidad y mucho más retomar el cuadro o lo que estuviera haciendo en aquel momento.

Por fortuna para mí, volvió a llegar el buen tiempo. Y, aunque en la sierra, tarda en aposentarse, pronto los días se hicieron más luminosos y el campo empezó a brotar, como cada primavera. Lutero y yo, después de tan largo invierno, también volvimos a brotar de nuevo (el perro más que yo, puesto que era un cachorro aún). Reanudamos los paseos por el monte y las estancias en el jardín, que también comenzaba a resucitar y que exigía ya algún cuidado, siquiera mínimo, de mi parte. Eso unido al mejor clima y a la extensión de los días, que se iban alargando poco a poco nuevamente, sobre todo a partir del mes de abril, cuando el Gobierno cambia la hora (¡qué poder el de un Gobierno, que incluso alcanza a la luz del día!), hizo que por fin saliese de aquella especie de depresión que durante cinco o seis meses me había tenido encerrado en aquel viejo chalet de Miraflores.

Porque era una depresión lo que yo había pasado en aquellos meses. Aunque sonara duro decirlo así y me resistiera a decir la palabra en alto, lo que yo había pasado en aquellos meses era una depresión, por más que fuera bastante suave. Aquella desazón que me asfixiaba, aquel desasosiego que sentía al despertarme algunas mañanas, aquella melancolía que me dejaba casi sin fuerzas y que me mantenía durante días tirado en cualquier lugar era una depresión, si bien yo no la consideré tal hasta que, con la primavera, volví a sentir que de nuevo volvía a hervirme la sangre. Una sangre que hasta entonces había estado dormida como la savia de los cipreses o la de las enredaderas de los jardines de la colonia.

Cuando me lo reconocí a mí mismo, me asusté de mi propia vida. Sin duda había calculado mal mis fuerzas y empezaba a pagar las consecuencias de una decisión muy dura, fue la primera conclusión que extraje. Pero quizá era mucho más que eso. Quizá, además de las consecuencias de una decisión muy dura y sin duda tomada con precipitación, aquella melancolía que sentía ahora tenía raíces más profundas que la simple soledad de un par de inviernos. Tal vez tenía razón Reinaldo, mi vecino de chalet, que era siquiatra (trabajaba en Alcalá, en un hospital, e iba y venía todos los días a Miraflores), cuando me dijo que todos los esfuerzos dejan huella, da igual que sean físicos o anímicos, y que por eso uno debe medir sus fuerzas antes de dar cualquier paso. Sobre todo si ese paso es tan difícil como el que yo había dado al cambiar de vida después de muchos años viviendo en la ciudad.

El verano no me ayudó a olvidarme de aquel invierno. Al contrario, el buen tiempo y el calor, junto con la llegada de los veraneantes (que acudieron, como siempre, como pájaros a sus nidos), no sólo no me sirvieron para olvidarme de aquel invierno, sino que acrecentaron en mí sus ecos, que eran como los de un río, sólo que oscuro y muy subterráneo. A pesar del ruido y la gente, a pesar de los muchos coches que ahora quebraban la paz del pueblo y de las colonias, yo seguía oyendo los ecos de aquel río subterráneo y oscurísimo que seguía corriendo por mi interior. Aquel río de aguas turbias y fangosas, llenas del lodo de los viejos sueños, que quizá llevaba fluyendo dentro de mí desde que nací, pero que no empecé a escuchar hasta aquel invierno, pese a que el anterior ya había intuido su presencia. Quizá porque aquel invierno, aun a pesar de ser el primero que pasaba solo en la sierra, fue también el primero de mi vida en el que tuve conciencia de ser un río yo mismo. Un río tan lento y grande como el que oía ahora dentro de mi corazón.

VII

Sólo dejé de oírlo unos días, los que pasé con aquella chica que apareció de pronto en mi vida. Yo, que había abandonado hacía ya tiempo cualquier posibilidad de enamoramiento, incluso de simple sexo, en aquel lugar, de repente me veía reviviendo viejas pasiones y sentimientos adormecidos y hasta olvidados.

Fue tan fugaz como el propio tiempo. Aquella chica pecosa, veinte años casi menor que yo, que apareció de pronto en mi vida y me sacó de mi postración ni siquiera se quedó para asistir a la llegada de un nuevo otoño a la sierra y mucho menos a la del tercer invierno que yo iba a pasar en ella. Se fue en septiembre junto con su madre, como la mayoría de los veraneantes, dejándome de nuevo solo, si es que no lo había estado siempre. Porque aquel amor de verano, aquella pasión fugaz que trastornó del todo mi vida hasta el punto de impedirme trabajar y hasta pensar, no había sido más que eso: una pasión imposible, un espejismo fugaz semejante a los que a veces creamos nosotros mismos para poder seguir subsistiendo. Lo cual no me impidió sucumbir a él con el entusiasmo de un adolescente y con la entrega de un necesitado. Yo, que me creía ya a salvo de todo, excepto de mi pasión por la propia vida.

Pero uno, a lo que se ve, nunca está a salvo de nada. Uno cree que es muy fuerte o que está ya curtido por dentro como una piel de tambor y, de pronto, aparece una mujer y te trasforma de arriba abajo. En mi caso, aquella vez, ni siquiera fue una mujer. Fue una muchacha de veinte años (veintidós, exageró, sin duda por vanidad) que apareció de pronto en mi casa para ver qué era lo que yo hacía. Según me dijo ella misma, estudiaba Bellas Artes en Madrid, ciudad en la que vivía desde que se trasladó a España desde Argentina junto a su madre, hacía ya muchos años. Estaban en Miraflores, en una urbanización nueva, pasando el mes de agosto, como tantos y tantos madrileños.

Me impresionó su espontaneidad. Desde el primer momento me deslumbró por su simpatía, pero, sobre todo, por su espontaneidad. Era la primera vez que alguien llamaba a mi puerta para interesarse por lo que yo pintaba. Y lo hacía sin dar muchas vueltas: presentándose en mi casa una mañana por sorpresa y entrando al ver que nadie le respondía. Yo estaba arriba, en la galería, con la música a todo volumen, concentrado en lo que estuviera haciendo, y no oí sus llamadas, entre otras cosas porque nadie solía llamar a mi puerta nunca. Así que, cuando la vi, subiendo ya la escalera que conducía a la galería, me quedé desconcertado y halagado al mismo tiempo. ¿Quién era aquella muchacha, tan bella, por otra parte, que se atrevía a entrar en mi casa sin presentarse ni llamar antes?

Era la primera vez que recibía una visita así desde que vivía en la sierra. Las demás habían sido todas de amigos míos y todas anunciadas previamente, a veces con mucho tiempo de antelación. Ésta era la primera que recibía por sorpresa y de una persona desconocida. Se llamaba Rosalía (se apresuró a presentarse ella) y era tan joven y tan hermosa que me pareció casi un espejismo. Incluso llegué a pensar por algún momento que tantas horas allí encerrado, sin dejar de pintar y sin hablar con nadie, me estaban empezando ya a pasar factura.

Pero la chica era de verdad. La chica era de carne y hueso y, a la vez, parecía despierta. En cuanto se recuperó del susto que le produjo hallarme en la galería, subió hacia ésta sin esperar a que yo la invitase a hacerlo y se quedó mirando a su alrededor. Dentro de mi general desorden, aquel día la galería estaba un poco aseada. Los cuadros ya terminados se apoyaban en filas por las paredes y los demás esperaban turno apilados en el suelo o amontonados sobre un armario. La chica dio varias vueltas observándolo todo con curiosidad y se quedó al final frente al caballete en el que descansaba el lienzo en el que yo trabajaba cuando llegó. Recuerdo que era un bodegón de los que yo pintaba en aquella época; un bodegón de pintor con todos los elementos del oficio dibujados o apuntados: óleos, pinceles, punteros, hasta los tarros de agua que solía usar como ceniceros... La chica lo miró durante un rato y luego me miró y me preguntó, muy seria:

—¿Qué es?

—Un bodegón. ¿No lo ves?

—Ya. Ya sé que es un bodegón —dijo ella, volviéndolo a mirar—. Pero no entiendo qué significa.

—Nada —le dije yo, sonriendo—. No significa nada.

—Eso es lo que tú te crees —me respondió ella, contradiciéndome.

Me dejó desconcertado y sorprendido. Aquella chica, prácticamente una adolescente, con marcado acento argentino y con la cara llena de pecas, no sólo se presentaba en mi casa sin conocerme, sino que se permitía contradecirme, a mí, que era ya un pintor famoso.

Pero a ella, a lo que se ve, esto le daba lo mismo:

—Todo significa algo —siguió, contemplando el cuadro—. Si tú pintas bodegones es por algo. Como si pintas paisajes. O flores. O naturalezas muertas... Todo significa algo —repitió, convencida de lo que decía.

—¿Tú crees? —le dije yo, sorprendido.

Me había sentado en la silla que utilizaba para leer. Una sillita de anea perteneciente seguramente a los primeros dueños de la casa.

—¿Fumas? —le pregunté a la chica, que seguía enfrente del caballete, mirando el cuadro con atención.

Pero ella, en lugar de responder a mi pregunta, siguió con su conversación:

—Tú estás muy solo —me dijo, dejándome con el mechero suspenso en una mano y el cigarro en la otra, sin encenderlo—. Si no, no pintarías lo que pintas —añadió, acercándose a mí y quitándome el cigarro de entre los dedos y llevándoselo a la boca con un gesto decidido.

Me dejó desconcertado nuevamente. Aún más que antes, si era posible. Aquella chica desconocida, de la que sólo sabía el nombre y el origen, no sólo se presentaba en mi propia casa sin avisar, sino que se permitía sicoanalizarme. ¿Quizá porque era argentina?

Le di fuego mirándole a los ojos. Ella encendió el cigarrillo y, luego, tras expulsar el humo hacia el techo (en una bocanada tan profunda que le borró la cara por un instante), miró los cuadros ya terminados y me dijo, sin rubor:

—Sólo alguien que está solo puede pintar como pintas tú.

—¿Tú crees? —intenté defenderme yo.

—Cuando uno pinta las cosas que le rodean es que está aislado del mundo... O que el mundo lo ha abandonado a él —sentenció ella, sobrecogiéndome, pues estaba poniendo palabras a las dudas que hacía ya tiempo yo alimentaba respecto de mi persona.

A aquella primera visita, le sucedieron pronto otras más. Por las tardes, después de la siesta o a la hora del anochecer, Rosalía se presentaba en mi casa y se quedaba conmigo durante horas, mirándome pintar y haciéndome compañía. Mientras sus amigas iban de fiesta a los pueblos o se juntaban en terrazas de Miraflores, que era la única diversión para los hijos de los veraneantes de las colonias, ella se quedaba allí haciéndome compañía y contemplando cómo pintaba. A veces, me liaba un porro (que fumábamos a medias normalmente) o me iba a buscar una cerveza a la cocina, pero, por lo general, se limitaba a mirarme hacer, como si le divirtiera asistir a algo que se supone que es lo más íntimo: el acto de la creación. A mí, curiosamente, no me importaba. Algo que nunca habría soportado, ni siquiera cuando vivía con gente, me resultaba ahora, curiosamente, estimulante y hasta placentero. Y ello a pesar de que, a veces, Rosalía me interrumpía para decirme que algo no estaba bien.

La primera vez que lo hizo reconozco que me molestó. Pensé que trasgredía cierto pacto no escrito pero evidente de respeto a mi trabajo y a mí mismo y me molestó mucho su observación. Pero ella siguió opinando sin importarle mucho lo que sintiera, con esa espontaneidad suya que al mismo tiempo me fascinaba. Porque lo peor era que solía tener razón. Cuando me señalaba cualquier defecto, cualquier fallo en el dibujo o en los colores, solía dar en el centro de la sospecha que yo tenía en aquel momento. Así que pasé de molestarme con sus dudas a esperarlas, cuando no a provocarlas directamente. Cuando ella no decía nada, era yo el que le preguntaba muchas veces su opinión.

A las dos o tres semanas, ya me había enamorado de ella. Lo comprendí una noche en la que no vino y, al día siguiente, me dijo que se había ido a las fiestas de Colmenar con unos amigos. De repente, me descubrí a mí mismo celoso y reprochándole su actitud. Ella me miró, extrañada. Tenía razón en no comprender los motivos de la mía. Al fin y al cabo, nada nos unía a los dos, salvo su afición a verme pintar a veces.

Tardó en volver por mi casa. Durante cinco o seis días, me castigó sin venir a verme y, cuando por fin lo hizo, apareció como si tal cosa; como si fuera normal su ausencia. Pero para mí ya no lo era, por desgracia. Con razón o sin razón, con derecho o sin derecho (le sacaba, como digo, veinte años) necesitaba tanto su compañía, su presencia en el sofá mientras pintaba (por vez primera en bastante tiempo, tenía alguien para quien pintar por fin), que su ausencia me provocaba un desasosiego semejante únicamente al que había sentido en aquel invierno.

Fue cuando comprendí que me había enamorado de aquella chica. Con razón o sin razón, con derecho o sin derecho, daba igual, me había enamorado de aquella chica y ahora ya no podía vivir sin verla. Pero lo peor era que ella no parecía darse ni cuenta. O, si se daba cuenta, hacía como que no. En todo caso, lo que parecía evidente es que, se diera cuenta o no de mis sentimientos, ella no sentía por mí más que la curiosidad que le llevó la primera vez a presentarse en mi casa sin anunciarse. Que fue lo que me fascinó de ella y lo que, pasado el tiempo, se transformó en un sentimiento de dependencia y hasta de necesidad de tenerla al lado.

Por eso, precisamente, y aunque nunca llegó a haber entre ambos ninguna relación física (tampoco yo la busqué, a la vista de su reacción entonces), cuando, al final de aquel verano, se fue, yo me sentí más solo que nunca, más vacío y abandonado que el sitio en el que vivía, si es que era vida mi vida en aquel chalet. Y, por eso, aunque volvió (un par de veces en el invierno y otras dos en primavera, para visitar con su madre el suyo), yo ni siquiera quise volver a verla para que no me doliera más. Me quedé escondido en la mía, oyendo cómo Lutero ladraba al timbre, que sonó unas cuantas veces, siempre en vano.

VIII

No fue la única a la que se lo hice. Aquel invierno y hasta el final, ya no abrí a nadie la puerta, salvo a Lutero y a Suso, la vez que vino.

No quería ver a nadie. Ni quería, ni podía, ni tenía ganas ya de hablar con ningún vecino. Ni siquiera pintaba desde hacía tiempo, convencido de que lo que estaba haciendo era algo que a nadie le podía interesar.

A mí, por lo menos, no. Desde que Rosalía se fue, aquellos bodegones que, en efecto, como ella dijo cuando los vio, reflejaban mi soledad («Sólo alguien que está muy solo pinta las cosas que le rodean»), me empezaron a pesar todavía más y a parecerme simples excusas para no dejar de pintar del todo. Que era lo que más temía, puesto que la pintura era lo único que tenía en aquel momento.

Pero ocurrió. Justo lo que más temía me terminó ocurriendo ese invierno, aunque el anterior ya experimentara la incapacidad de pintar que ahora, definitivamente aburrido y falto de todo estímulo, se me manifestaba de un modo más evidente. No sólo ya no quería pintar lo mismo de siempre, sino que ni siquiera podía hacerlo. Parecía como si los pinceles me pesaran tanto como mi propia vida.

Fue cuando comencé a pensar, si es que no lo había hecho antes, que aquella etapa de Miraflores se había acabado para mí. Que aquel destierro voluntario, aquel alejamiento de Madrid y del mundo en general por el que opté en un momento dado, en un tiempo en el que aquéllos me pesaban como ahora los pinceles, habían tocado a su fin, entre otras cosas porque ya no me aportaban nada bueno. Al contrario: me hundían cada vez más en la depresión que había sufrido el pasado invierno y que sólo la llegada de Rosalía aventó unos cuantos días en verano.

Pero ahora Rosalía se había ido (con sus pecas, su sonrisa y la espontaneidad de sus veinte años) y la melancolía había vuelto con toda su potencia a instalarse en el centro de mi vida. Como cuando, el anterior otoño, la sierra empezó a dorarse y los días a cubrirse de esas brumas que anticipan allí arriba la llegada del invierno y del mal tiempo, la melancolía volvió a invadirme, pero ahora acentuada por el vacío que dejó en ella la marcha de aquella chica. Y su abandono. Puesto que, sin razón ninguna, pero con todo el derecho a hacerlo (¿quién podía negarme ese derecho?), yo seguía considerando aquélla un abandono, independientemente de que fuera inevitable y ya sabida.

No era, no obstante, el único abandono ni el primero que, a mi entender, yo sufría desde que estaba viviendo allí. La mayoría de mis amigos habían hecho también lo mismo, sólo que poco a poco y con discreción. Primero fueron espaciando sus visitas a mi casa, más tarde sus llamadas telefónicas y, finalmente, se olvidaron de mí del todo, salvo algún caso aislado, como el de Suso. Los demás, con excepciones, ni siquiera preguntaban ya por mí y, si lo hacían, era por curiosidad. Se conformaban con saber que seguía vivo, sin importarles si pintaba o había dejado de hacerlo. Sólo Corine, por supuesto, con la que seguía teniendo la relación contractual de siempre (todavía sigo teniéndola hoy en día, pese a todo), se preocupaba de saber que seguía pintando, aunque nunca subiera hasta mi casa a comprobarlo. Por eso, cuando dejé de pintar del todo, sumido en la depresión de aquel tercer invierno en Miraflores, ni siquiera me molesté en decírselo. ¿Para qué se lo iba a decir si sólo oía lo que le interesaba oír?

Fue la peor época de mi vida. Peor que aquella última en Madrid, cuando el estrés y el acoso de los periodistas a punto estuvieron de desequilibrarme del todo. Completamente solo y olvidado por todos mis amigos, salvo Suso (que ya no subía a verme, pero que me llamaba de vez en cuando para ver qué tal seguía, por lo menos), caí en una especie de dejación, en un ensimismamiento que me hacía pasar los días tirado en cualquier rincón, sin pintar ni salir a pasear, como hasta entonces. Sólo Lutero, siempre a mi lado, me hacía salir de mi abatimiento para abrirle la puerta del jardín, cuando hacía bueno, o para encender la calefacción, cuando arreciaban el frío o la nieve, no fuera a ser que nos congeláramos. No sé si por mi estado de ánimo en aquel momento o porque, efectivamente, aquel último invierno fue el más duro de los tres que pasé en la sierra, me parecía que hacía más frío que los dos inviernos anteriores. De hecho fue el primero en el que vi carámbanos colgando de los aleros y en el que el puerto de La Morcuera permaneció cerrado por la nieve durante varios días seguidos.

Mientras tanto, yo pasaba el tiempo en casa, tirado en cualquier sofá y viendo pasar las nubes y el tiempo en la lejanía. Aquella lejanía malva, blanca en los días de nieve y dorada en las mañanas soleadas y más limpias, que señalaba en el horizonte la presencia siempre oscura y silenciosa de Madrid.

Siempre había estado allí y siempre la había mirado (por las noches, sobre todo, cuando su resplandor me sobresaltaba en mitad del sueño temblando en la oscuridad), pero nunca como aquel último invierno me había atraído su presencia, o su ausencia, los días en que llovía. Esos días, que a veces eran bastantes, su invisibilidad me sobrecogía, como si temiera que hubiese desaparecido. Aunque últimamente apenas bajaba ya a visitarla y aunque, cuando lo hacía, me sentía cada vez más extraño en ella, necesitaba de su presencia, siquiera fuera en el horizonte, para seguir soportando mi vida en aquel lugar. Mientras Madrid estuviera allí, mientras su cielo siguiera altivo desafiando al mundo y a las montañas con sus azules y rosas fuertes, yo me sentía seguro, por más que esa sensación fuera tan absurda como la que yo sentía cuando volvía a ver a mis conocidos en los locales y restaurantes de siempre o en los que estaban de moda ahora. Que eran los mismos desde hacía siglos, aunque cambiaran de nombre cada poco.

Como la gente. Aunque la gente fuese cambiando, aunque los protagonistas de la ciudad fueran cambiando sus caras, aunque los triunfadores y perdedores se sucedieran cada cierto tiempo, eran los mismos de siempre, sólo que con otros nombres. Nada había cambiado en ella mientras yo vivía en la sierra. Todo era igual que siempre, pese a que mis amigos y conocidos creyeran que Madrid había cambiado mucho en todo aquel tiempo. Que era lo que yo creía también cuando vivía en Madrid como ellos y cada año me parecía una eternidad. Motivo este por el que imaginaba que, si me iba de Madrid, aunque fuera solamente algunos meses, cuando volviera ya no tendría mi sitio.

Pero ahora comprendía hasta qué punto estábamos todos equivocados. Ni Madrid ni ningún sitio cambiaba tanto como creíamos y, aunque lo hiciera, los cambios no eran tan decisivos como para quedarnos fuera de ella. El temor que alimentábamos a quedarnos sin nuestros sitios si abandonábamos la ciudad, siquiera fuera por poco tiempo, no era más que una ilusión que poco o nada tenía que ver con la realidad. Madrid, como Miraflores, como Gijón o como cualquier lugar, no era más que un espejo deformado en el que se proyectaban nuestras ilusiones. Pero éstas eran independientes. Éstas seguían perteneciéndonos al margen de cuál fuera nuestra suerte o nuestra vida. Por eso, poco importaba que yo viviese ahora fuera de Madrid o que mentalmente siguiera estándolo cuando volvía a ella de cuando en cuando. Los espejos de sus calles me reflejaban como antes de ello y, desde ese mismo momento, yo volvía a estar allí. Entre otras cosas, porque la mayoría de las personas que conocía ni siquiera se habían enterado de que llevaba fuera tres años.

Como me dijo Suso una vez, la primera que subió a verme a la sierra:

—Da igual que vivas aquí. Tu cabeza está en Madrid y por lo tanto sigues viviendo allí.

IX

¡Cuánta razón tenía Suso! Como casi siempre hacía, Suso había vuelto a poner el dedo en la llaga de mis contradicciones. Aunque en aquel momento yo no pudiera admitirlo, emocionado como aún estaba tras mi llegada a la sierra después de dejar Madrid.

Pero, ahora, después de años viviendo allí, después de tres primaveras viendo fundirse la nieve y de tres largos inviernos contemplándola caer de nuevo, tenía ya la experiencia suficiente como para mirar mi vida con frialdad. Aunque mi depresión y mi abatimiento me empujaran a verlo todo con pesimismo, todavía conservaba la cordura necesaria para entender que mi vida allí, en aquella colonia de veraneo, aislado de la gente y de mi mundo, era una especie de purgatorio que yo me había impuesto a mí mismo para salir del infierno en el que vivía cuando lo hice. O en el que creía vivir, quizá equivocadamente.

Pero eso no significaba que aquélla fuera una opción de vida. De ningún modo podía serlo, a pesar de que al principio así llegara a creerlo, impresionado por el silencio y por la tranquilidad que de pronto descubría y disfrutaba, sobre todo a la hora de pintar, puesto que aquéllos, en cuanto te habitúas, conducen más al infierno que al paraíso que se presume hay siempre detrás de cada purgatorio. Yo lo fui comprendiendo poco a poco a lo largo de esos tres años y lo comprendí del todo el día en que, ya en Madrid, eché la vista hacia atrás y me asusté de ver cómo había vivido y cuánto había aguantado sin que nadie me hiciera compañía.

Aquel último invierno, sin embargo, yo ya había entendido que mi estancia en Miraflores se encaminaba hacia su final. Lo sabía ya hacía tiempo, cuando la marcha de Rosalía me dejó tan desolado como si me hubiese abandonado o traicionado de verdad (lo que me hizo descubrir hasta qué punto yo estaba necesitado de compañía) y me lo confirmó el invierno, que fue el más duro de todos, no porque climatológicamente lo fuera, sino porque yo apenas tenía ya fuerzas para seguir allí por más tiempo. Pero esa misma desidia me retenía allí, soportándolo. El mismo abatimiento y la apatía que, mi tercer invierno en la sierra, lejos del mundo real, me mantenían durante días y hasta semanas enteras sin levantarme apenas de la cama, me impedían, a la vez, salir de mi postración y marcharme de aquel sitio, poniendo tierra por medio, como hice respecto de Madrid cuando me fui. Y es que el estrés y el cansancio, al revés que la tristeza, te dan fuerzas para hacerlo, o por lo menos no te las quitan.

El problema era que ahora yo estaba tan abatido que ni siquiera tenía ya ganas de levantarme y, mucho menos, de salir a ver el mundo, aunque fuera tan pequeño como el que me rodeaba en aquel lugar. También en él se daban los mismos gestos, las mismas actitudes y miserias que en Madrid o que en Gijón, si bien más limitadas por las características propias del pueblo y por las ambiciones de sus vecinos. Que se reducían, en la mayor parte de los casos, a comer todos los días, tener la casa ordenada y limpia y llenar el resto del tiempo viendo pasar los coches por la plaza (o por la carretera, los que vivían en las colonias) y la vida por la televisión. Una vida a la que yo había renunciado voluntariamente cuando abandoné Madrid para irme a vivir con ellos, pero que ahora me descubría envidiando, sin duda por aburrimiento.

O por nostalgia. Nostalgia de mis amigos y de los años que habían quedado atrás y nostalgia de la vida que voluntariamente había abandonado, tan harto estaba de ella, pero que ahora echaba de menos contradiciéndome una vez más. Y es que la contradicción seguía rigiendo mi vida. Cuando tenía una cosa, la despreciaba o la abandonaba y, cuando la había perdido, la añoraba y deseaba como antes de tenerla. Triste destino el mío, siempre a medias entre el cielo y el infierno, entre la libertad y la necesidad de amor, entre la soledad y la búsqueda del éxito, aunque éste fuera algo ya vacío y sin sentido para mí.

El éxito, en aquel momento, ni siquiera me interesaba ya como reflexión. Como cuando abandoné Madrid, volvía a ser una meta absurda, un fruto amargo y podrido que solamente atraía a la gente más mediocre y ambiciosa o a la que, por el contrario, no estaba muy segura de sí misma o de su obra; es decir, aquella que necesitaba el halago ajeno para afirmarse en sus convicciones o la que necesitaba el éxito para afianzarse ante los demás. En cualquiera de los casos, el éxito no era la circunstancia, el resultado añadido del trabajo o de la obra hecha en silencio, sino el primer objetivo y a veces casi único de aquéllos, que era justo lo contrario de lo que yo había pensado siempre y de lo que seguía pensando, aun a pesar de mi situación ahora. Porque, si para algo me habían servido aquellos años de soledad, si para algo me habían servido aquellos inviernos y aquellas tardes de primavera paseando por los pinares junto a Lutero sin ver a nadie ni hablar con nadie durante días, era para entender el absurdo que todo lo que no fuera la obra de arte, o la elaboración de ésta, constituía; para asentar la sospecha, en fin, que siempre tuve desde pequeño (y de la que sólo llegué a dudar algún tiempo, cuando el éxito llamó a mi puerta con insistencia en aquellos años que precedieron a mi huida de Madrid) de que lo único que al artista le debe interesar es su trabajo y que la realización de éste es su verdadero éxito. El único posible y al alcance de sus manos, además.

Eso, que yo sabía de siempre y que fue una de las razones que me llevó a escapar de Madrid entonces, ahora lo tenía aún más claro, por cuanto lo había experimentado en mi propia piel en aquellos años que llevaba viviendo fuera del mundo. Tres largos años de soledad, de aislamiento y de olvido generales, por más que el éxito del que huía hubiese ido creciendo entre tanto gracias precisamente a ese alejamiento de los ambientes periodísticos y artísticos de Madrid. Esos a los que ahora volvía, pero sabiendo que no tenía nada que ver con ellos.

Lo sabía ya hacía tiempo, posiblemente desde el principio, pero, por si tuviera dudas, lo volví a comprobar aquel mismo invierno, el último que pasaba en el purgatorio, con ocasión de mis dos únicas visitas a Madrid. Una para asistir a la boda civil de Mario, que, en plena cima del éxito, se casaba con una actriz famosa (pronto se separaría), y la otra para asistir a la exposición que Corine organizó con ocasión de los treinta años de la galería. En las fiestas que siguieron a ambos actos, estaban todos los que tenían que estar, es decir, toda la gente importante de la cultura española de aquel momento, que era la misma de siempre, con algunas incorporaciones. La de la boda de Mario duró hasta el amanecer y, por supuesto, salió en todos los periódicos y hasta en la televisión. La de la galería fue más modesta, pero reunió también a bastante gente. Gente que ya conocía y que me abordaba ahora deseosa de saber dónde había estado todo aquel tiempo y gente desconocida que ni siquiera sabía quién era, pero que me trataba como si me conociera mucho. Yo lo veía todo como si estuviera asistiendo a una representación. A pesar de que mis amigos estaban en las dos fiestas y de que volvía a encontrarme con personas que admiraba y respetaba, como Cristino, yo me sentía al margen de todo aquello, por más que fuera uno de los protagonistas. El principal en la fiesta de la galería, puesto que mi alejamiento de aquellos años me otorgaba, al parecer, una aureola que aumentaba mi cotización. ¿Cómo contarles que hacía ya meses que no pintaba ni una acuarela?

Cuando terminó la fiesta, me fui al hotel en el que Corine me había reservado una habitación ante mi negativa a quedarme en su nueva casa. Era un viejo hotel de Chueca con el nombre escrito en neón en el que más de una vez yo había dormido años atrás con ocasión de alguna ruptura o, al revés, de algún encuentro amoroso que, por la razón que fuera (normalmente su carácter prohibido), no podía tener en casa. El viejo barrio de mis inicios, el sitio en el que viví dos o tres años cuando llegué, allá por finales de los setenta, y que entonces estaba lleno de viejas tiendas y de tabernas, había cambiado mucho desde aquel tiempo y ahora era el más divertido y concurrido de la ciudad. En las sórdidas callejas de otro tiempo, entonces llenas de drogadictos, abrían sus puertas ahora multitud de locales y de bares, la mayoría de ellos llenos de gente. Gente joven y con ganas de vivir que nada tenía que ver con la que acababa de ver en la galería, pretenciosa y pagada de sí misma y convencida de ser la más interesante del país, ni con la que había dejado en Miraflores, aburrida y vacía hasta la desolación. Entre ella volvía a sentirme como hacía años, cuando yo mismo acudía a aquellos locales, entonces con otros nombres o con otras dedicaciones, y cuando todavía creía que el cielo de Madrid estaba allí para todos y no sólo para unos pocos, los que menos lo merecen normalmente. Yo lo había buscado siempre, como la mayoría de mis amigos de aquellos tiempos, y, cuando lo alcancé, renuncié a él puesto que no era el cielo que yo quería. El cielo que yo quería, el que me llevó a Madrid desde el verde norte, el que me empujó y sostuvo durante bastantes años, en tiempos de privaciones y de penurias de todo tipo, era el que iluminaba los sueños de aquella gente que me cruzaba ahora en mi camino hacia el Hotel Mónaco.

Llegué a éste ya cansado. Últimamente lo estaba siempre y aquel día con motivo: había salido temprano de

Miraflores y la fiesta había sido larga. De hecho, estaba borracho, aunque no me hubiese dado cuenta hasta salir. Lo empecé a notar en la calle, por la Gran Vía, cuando ésta comenzó a difuminarse y a llenarse de colores y de coches frente a mí, y lo corroboré ya en Chueca, cuando sus viejas callejas y plazoletas se convirtieron en una especie de laberinto que vomitaba también colores y gente por todas partes. Aun así, seguí caminando. Pasé de largo el hotel, quizá buscando despejarme un poco más antes de ir a dormir, y, cuando me quise dar cuenta, estaba ya en las Salesas, como un perro que siguiese por instinto el camino familiar de tantos años. Al revés que la de Chueca, la plaza estaba desierta. Solamente una persona paseaba al perro entre los cipreses (me acordé del dueño de Sam, y de éste, claro está; ¿qué habría sido de los dos?) y un vagabundo dormía en un banco, cubierto con cartones, como mi viejo amigo Fermín. Me acerqué a mirar, pero no era él. Éste era rubio, extranjero, posiblemente del este. Últimamente había muchos en Madrid. ¿Qué habría sido de Fermín? ¿Se habría ido de la plaza o andaría por los alrededores? ¿Habría muerto tal vez? En cualquier caso, me hubiese gustado verlo y decirle que volvía del purgatorio, como había salido del infierno (en parte, gracias a sus consejos), y que por fin había encontrado mi sitio. Era aquél, aquella plaza, aquel montón de edificios, aquella gente anónima que dormía mientras yo velaba su sueño como él hacía todas las noches, aquel cielo azul y rosa que tanto echaba de menos desde que me fui a la sierra y que volvía a ver desde abajo. Que es como hay que mirarlo, pese a que todos intentemos alcanzarlo y tocarlo con los dedos, sin saber que detrás de él no hay nada, salvo el vacío.

Cuarto círculo

EL CIELO

«Y de pronto me pareció que un nuevo día se
unía al día, como si aquel que todo lo puede
hubiese adornado el cielo con otro sol.»

DANTE ALIGHIERI
La Divina Comedia, Canto LXVIII

[illegible] que [illegible] la punta

[illegible] acertando el medio [illegible]

[illegible]

[illegible] por medio de los extre-

[illegible]

[illegible]

Final

Y aquí sigo desde entonces, primero solo, como al llegar, y, desde hace ya dos años, con tu madre, a la que conocería poco después. Fue por sorpresa, como se debe, cuando menos pensaba que llegaría.

Fue al poco de marchar Suso. El viejo amigo de tantos años, el escritor que nunca escribió una línea, el joven de más talento de todos cuantos llegamos a Madrid buscando el éxito allá por mediados de los setenta, se cansó de la ciudad y de sí mismo y decidió volver a su tierra, donde sigue alimentando su nihilismo y su leyenda. Que fue lo mismo que hicieron otros antes que él y que yo estuve a punto de hacer también muchas veces. Y es que la soledad pesa mucho.

A mí dejó de pesarme un día, en un bar de la plaza de Olavide. No es que fuera mucho a ella, pero acostumbraba a hacerlo, desde que vivía cerca, los días en que me quedaba la noche entera pintando como cuando era más joven. Ya apenas salía de noche y había dejado de beber. Esas mañanas, en Olavide, la ciudad parecía nueva. Recién recuperada y arbolada tras el derribo del anterior proyecto, el oasis que la plaza abre en el centro de la ciudad parece un sueño geométrico para el disfrute de sus vecinos.

Que son pocos a esas horas, puesto que la mayoría están trabajando.

Yo vivía en Chamberí y solía frecuentarla en esa época. Me gustaba verla despertarse mientras desayunaba en cualquier café de los varios que se reparten su perspectiva. Por fortuna para mí, aquel día entré en el que tenía que entrar. El azar, en estos casos, es más que determinante. Tanto como para cambiarnos la vida, en un sentido o en otro. Y mi caso no fue una excepción. Aquella camarera de la barra, aquella aparición inesperada en la dulce mañana de septiembre (creo que era de septiembre) no estaba allí por casualidad. Había quedado conmigo sin saberlo ella ni yo. Pero sabiendo, eso sí, que, si nos encontrábamos, ya nunca volveríamos a separarnos mientras viviéramos.

Por fortuna para mí, sucedió así. Por fortuna para mí y para ti, que gracias a aquel encuentro y a la determinación con la que me dirigí a la chica después de mucho tiempo sin hacerlo estás ahora aquí mirándome, aunque todavía no me conozcas. Apenas llevas unas horas en el mundo y ni siquiera puedes abrir los ojos. Pero no importa. Pronto me conocerás y entonces te darás cuenta de que mi rostro no es más que un espejo roto en el que te mirarás cuando seas mayor. Pero no sabrás de mí más que lo que aquél te cuente. Ni siquiera yo podré contarte mi vida, salvo como una sucesión de anécdotas. Anécdotas sin sentido que te repetiré mil veces hasta terminar cansándote, pero que de ninguna forma trasmitirán lo que quedó perdido entre ellas, que es mi verdadera vida. Por eso pinto y pinto sin cesar. Porque el color es superior a la palabra del mismo modo en que los sentidos son superiores al pensamiento. Por eso pinto todos los días, pese a que en ocasiones la pintura me traicione como a todos. Es mi lenguaje y mi condición, la única forma que tengo de decir la verdad y de soportarla y de buscar, a la vez, la vida que perdí viviendo otras, como supongo te ocurrirá a ti también un día. Les pasa a todos los hombres, pese a que la mayoría no se den cuenta.

Ahora anochece en Madrid, la ciudad en la que estamos. Tú sin saberlo, lógicamente, y yo sabiéndolo, pero dudándolo. Quiero decir: dudando de si es eres de verdad o un espejismo, como la mayoría. Cuanto más a esta hora, en que nada es cierto y menos en Madrid, donde todo es inventado o lo parece. Las luces de las farolas se encienden en las aceras, primero rosas y luego amarillentas, y las ventanas de algunas casas comienzan a amarillear también como los focos de los automóviles y de las motos por la avenida. Pronto lo estarán del todo y la noche se llenará de cuadrados blancos. Tú aún no lo ves, ni lo sabes, pero es el momento del día que más triste o más feliz puede hacer sentirse a una persona. A esta hora, muchas veces yo he pensado en suicidarme, como tantos, pero también he sido, otras muchas, el hombre más feliz de la Tierra. Por eso, es la hora del día en la que siempre empiezo a pintar. Lo hago después de mirar el cielo, de observar cómo se cubre poco a poco de tachones, como si un pintor fabuloso restregara sus pinceles contra él después de pintar el día, y de ver cómo los rosas se vuelven rojos poco a poco y los azules se tornan malvas antes de fundirse en negro. Ese momento, tan sustancial, tan efímero y eterno al mismo tiempo, es primordial para mi pintura porque resume mi vida entera.

Una vida que he pasado deambulando entre la luz y la oscuridad, entre libertad y la necesidad de amor, entre la soledad y la búsqueda del éxito, entre el cielo y el infierno en el que pinto desde hace muchos años. Porque este viejo cielo de Madrid, este cielo azul y rosa que todo el mundo persigue y que todo el mundo alaba, incluso sin conocerlo, y que ahora se desvanece igual que todos los días detrás del gran edificio en el que tú acabas de nacer (y en el que suena ahora un acordeón que llega desde la calle en sordina), es a la vez el infierno, y el limbo, y el purgatorio, aunque yo haya tardado mucho en saberlo. Te lo cuento ahora, que no me escuchas, para que sepas quién fue tu padre, cuál fue su vida y su trayectoria, qué hay detrás de su pintura y de su obra. Te lo cuento ahora, que no me escuchas, porque, cuando me escuches, ya no sabré decírtelo.